215,00

MERCI, MON SIÈCLE

DU MÊME AUTEUR

Madame et le Management, Tchou, 1969.
Madame et le bonheur, Robert Laffont, 1972.
Je veux rentrer à la maison, Grasset, 1979.
Ça va les hommes ?, Grasset, 1981.
Le Divorce-Boom, Fayard, 1983.
Moi, ta mère, Fayard, 1985.
Chers enfants, Fayard, 1987.
Nos sous, Fayard, 1989.
Moi, ta fille, Fayard, 1990 (Prix Vérité 1990).
Dessine-moi une famille, Fayard, 1992.
La Politesse du cœur, Stock, 1993.
Toi, mon senior, Fayard, 1997.

La Grosse et la Maigre, avec Claire Gallois,
   Albin Michel, 1994.

Christiane Collange

MERCI, MON SIÈCLE

Fayard

Ce livre est dédié à mes douze petits-enfants :
Sébastien, Jean-Baptiste, Julien, Charlotte,
Agathe, Emily, Joséphine, Juliette, Lauren,
Martin, Rosalie et Paul. Ils ne sont pas tous
en âge de s'y intéresser lors de sa parution ;
j'espère cependant qu'au prochain millénaire
ils feront l'effort de le lire pour bien
comprendre la chance qu'ils ont eue, comme
moi, d'être nés au XXe siècle.

Sommaire

Introduction

Au revoir et merci !

Parce que tu vas te terminer avant que je m'en aille[1], cher XXe siècle, je veux te dire : au revoir et merci.

Dans quelques centaines de jours tu t'achèveras. Je prévois ton départ dans le blâme plutôt que dans l'apologie. Il est tellement légitime de te faire des reproches ! Les deux abominables « grandes » guerres, l'Holocauste, Hiroshima, les massacres africains, les goulags et Pol Pot, les chômeurs des années 30 et 90, les famines asiatiques, la mafia et la drogue... Inutile d'en dérouler indé-

---

1. Oui, je sais, il ne faut jamais dire ce genre de choses sans croiser les doigts, personne ne sait le jour ni l'heure, mais même si la camarde me rattrape quelques mois avant ta fin, tout ce que je vais écrire ici demeure valable.

finiment la liste, nous avons tous à l'esprit les
drames de ces cent dernières années.

Tes fautes « sautent aux yeux ». La télévision va nous les ressasser à longueur de bilans
dans les mois qui viennent. Il n'est question ni
d'oublier, ni d'excuser tes erreurs – ou plutôt
celles des hommes qui t'ont ainsi déshonoré.
Tu as fait des dizaines de millions de victimes,
plus que tes prédécesseurs, parce que le
progrès scientifique a mis des moyens gigantesques à la disposition de la barbarie
humaine. Pourtant, cette même accélération
du progrès t'a permis, parallèlement, de rendre
la vie plus longue, plus vivable, souvent plus
agréable, parfois même plus belle à des milliards d'êtres humains. Ayant été une de tes
privilégiées, j'ai eu envie de te rendre un petit
bout de justice, de te faire en somme une
déclaration de reconnaissance, à toi, mon
siècle, avec qui j'aurai vécu l'essentiel de ma
vie.

J'admets que j'ai eu beaucoup de chance :
parce que mon Papa n'a pas disparu dans la
boucherie de la Grande Guerre ; parce que ma
Maman n'est pas morte en couches en mettant
ses premiers enfants au monde, comme cela se
passait couramment aux siècles précédents ;
parce que nous avons tous échappé à l'horreur
endurée par ceux qui portaient un nom juif au

début des années 40 ; parce que je suis Européenne, d'un continent où les droits de l'homme sont grosso modo plutôt mieux respectés que sous d'autres latitudes ; parce que je suis née fille dans un pays laïque, de tradition judéo-chrétienne, et non dans une civilisation islamique ; parce que j'ai pleuré, ri, aimé aussi souvent qu'à mon tour ; et parce que j'ai encore suffisamment d'années à vivre pour assister aux balbutiements du prochain millénaire.

Certes tu n'as pas été toujours facile à traverser, mais, comme on le dit de son conjoint quand on est parvenu à surmonter ensemble toutes les péripéties de la vie malgré les hauts et les bas d'une relation de couple, c'est avec toi, tout compte fait, que j'aurai préféré vivre, plutôt qu'avec tout autre siècle.

Au nombre des époques « vivables », je raye d'emblée l'Antiquité et le Moyen Âge ; j'y serais déjà morte depuis trente ans au moins. Les XVe, XVIe, XVIIe et XVIIIe siècles ne m'ont jamais beaucoup tentée, malgré la Renaissance et les Lumières, Mozart, Versailles et le marivaudage. Femme d'extraction ordinaire, roturière, je n'aurais eu ni les titres, ni les privilèges, ni la fortune, ni le sexe qui m'auraient permis de tirer mon épingle d'un jeu quotidien si difficile à assumer physiquement et moralement. Un seul exemple : on a beau me dire que les sentiments n'étaient pas les mêmes, je me refuse à imaginer qu'après les avoir portés neuf mois, nourris au sein, arrachés aux microbes et à la maladie, j'aurais pu me résigner à voir mourir la majorité des enfants que j'aurais mis au monde. Je vais peut-être paraître terriblement terre à terre, mais j'avoue n'avoir jamais envié aucun destin du passé, pas mêmes ceux des plus grands rois ou des créateurs de génie, pour la simple et bonne raison qu'ils ont dû tous, inexorablement, souffrir en permanence de rages de dents. Allez profiter de quoi que ce soit dans la vie quand un abcès vous taraude ou qu'une molaire cariée pourrit dans votre bouche !

À titre personnel, alors que je me suis souvent sentie en complète adéquation avec mon personnage de journaliste contemporaine, je ne vois pas bien quel emploi j'aurais pu tenir dans les sociétés du passé. Favorite, peut-être ? Pour m'intéresser de près à la vie de mes concitoyens par monarque interposé... Je doute cependant que mon physique tout à fait moyen et mon indépendance sexuelle farouche m'eussent permis de postuler ce rôle tant convoité. Sans compter les bassesses et les dangers inhérents aux intrigues de Cour. Mourir empoisonnée par une péronnelle qui n'a de cesse de vous piquer votre amant, non merci ! Peut-être alors supérieure de couvent ? Un boulot de cadre dirigeant assez tentant sur le plan des responsabilités, mais aux conditions d'existence franchement austères. Et puis, au couvent, pas d'enfants : hors de question, pour ce qui me concerne ! Reste un destin de bonne mère de famille. À la ferme comme à la ville, ce statut social n'avait rien de bien grisant. Les tâches étaient aussi rudes que les sentiments. La famine, la maladie et la mort rôdaient à l'entour des foyers comme les loups menaçaient les bergeries. Il faisait plus noir, plus froid, plus faim, plus dur, plus triste qu'aujourd'hui. Toujours « aux œufs ou au lait », les femmes entretenaient le feu, portaient l'eau, brossaient et rinçaient le linge dans l'eau souvent glacée des lavoirs, torchaient les enfants et servaient les hommes debout derrière eux. Chienne de vie !

Une jeune fille normande me disait récemment combien elle rêvait fréquemment du temps jadis : « Dans notre pays de Caux, les villages étaient plus vivants que maintenant, les gens se parlaient, les enfants se connaissaient mieux, les couples ne divorçaient pas, les jeunes trouvaient du travail, les vieux ne finissaient pas leur vie à l'asile... » Je l'ai un peu déçue, mais en même temps réconfortée

en lui faisant remarquer qu'au XVIIIe siècle
elle n'aurait certainement pas su lire, elle
n'aurait pu « fréquenter » son « copain »
qu'en cachette de ses parents, elle aurait été
placée dès l'âge de douze ou quatorze ans
comme servante dans une ferme (ou au château, condition à peine plus lucrative et plus
enviable) et elle se serait sans doute retrouvée
orpheline de père ou de mère – voire des
deux – bien avant sa majorité. Quant aux
vieux, d'abord il n'en restait que fort peu, mais
les quelques rescapés n'avaient qu'à se taire
en mangeant leur bol de soupe au coin de
l'âtre... sans *Les Chiffres et les Lettres* ou
Questions pour un champion pour se distraire
à la veillée.

Surtout, ne me parlez pas du *bon vieux
temps* ! La vie n'était pas « bonne » dans les
temps anciens. Elle était terriblement dure et
courte.

Venons-en au XIXe siècle, le plus proche de
toi et moi. J'ai l'impression de le connaître
beaucoup plus intimement. Mes grand-mères
l'avaient vécu, mes parents le racontaient
volontiers. De surcroît, l'influence de la Troisième République l'a en quelque sorte perpé-
tué dans les esprits et les comportements jusqu'à la Seconde Guerre mondiale.

Bien que nous lui devions la plupart des avancées scientifiques grâce auxquelles le monde moderne a pu s'édifier, ce XIXe ne m'a jamais inspiré beaucoup de sympathie[1]. Je ne me sentais guère d'atomes crochus avec sa tartufferie, sa bourgeoisie ventripotente, sa morale étriquée, son industrie ravageuse de santé, sa bonne conscience des possédants, sa misère du petit peuple. Le Code Napoléon, la morale victorienne, le nationalisme allemand, l'humeur belliqueuse de nations par ailleurs civilisées, l'industrialisation sauvage, l'élan révolutionnaire, l'éveil des nationalismes, la colonisation : que de drames et de combats il a fallu pour redresser en partie les erreurs, apaiser les rancœurs, réparer les injustices accumulées entre les deux révolutions (la française et la russe) ! Si ton prédécesseur s'était montré moins égoïste, rapiat, puritain, revanchard, toi, mon siècle, tu aurais peut-être su faire l'économie de bien des attentats, des insurrections, des conflagrations, ne serait-ce que dans ta première moitié.

Dans mon enfance, puis dans ma jeunesse, l'héritage de ce XIXe réactionnaire et misogyne

---

1. Au même titre que Napoléon Ier, archétype, à mes yeux, de l'insupportable macho et du général sanguinaire sacrifiant sans compter des vies humaines à ses ambitions politiques et personnelles.

pesa encore lourd sur mon éducation de fille.
Bien que j'eusse passé un bachot scientifique
en 1948, mes parents me déconseillèrent vivement de faire une école d'ingénieurs : « L'industrie n'est pas un métier de femme...Tu ne
serais pas heureuse dans un bureau d'études,
parmi tant d'hommes. Quant à exercer en
usine, il n'en est pas question ! » se contenta
de préciser mon père en m'orientant vers des
études supérieures plus féminines[1]. Tous ces
interdits, ces tabous, ces idées préconçues qui
ont rogné les ailes à tant de filles de ma génération, venaient en droite ligne de l'éducation
reçue par nos parents, eux-mêmes héritiers des
principes ultra-rigides de leurs propres parents
élevés en plein XIXᵉ. Je ne te remercierai
jamais assez, cher siècle, d'avoir cassé cette
fatalité, de m'avoir « libérée[2] ». En tant que
femme, j'ai cent raisons de t'être reconnaissante. J'essaierai de n'en oublier aucune dans
ce livre.

---

1. Mes petits-enfants me prennent pour un dinosaure quand je
leur raconte qu'à l'époque Sciences-Po était *la seule* Grande
École où les filles étaient admises. Sans parler de Centrale ou
Polytechnique, même HEC n'est devenue mixte qu'en 1973.
2. J'ai toujours considéré que la « Libération » en 1944 n'a
pas seulement marqué la fin de l'occupation allemande ; c'est
également cette année-là, le 5 octobre, que le droit de vote a été
accordé aux Françaises.

Contrairement à une idée fort répandue, rien ne prouve que, jadis, la vie quotidienne des hommes ait été tellement plus agréable que celle de leurs compagnes. À l'évidence, depuis la nuit des temps et jusqu'à tout récemment – certains disent même encore maintenant, mais je ne partage pas complètement ce point de vue –, il valait mieux appartenir au sexe considéré comme « fort ». Pourtant, la condition masculine n'offrait pas que des perspectives paradisiaques. Responsables du « pain quotidien », les hommes devaient le gagner littéralement à la sueur de leur front, souvent aussi au péril de leur santé, voire de leur vie.

Les conditions de travail étaient rudes, les relations brutales, les sentiments limités, les interdits innombrables. La meilleure preuve : les hommes mouraient encore plus jeunes que nous[1]... et bien souvent à la guerre.

Quelle merveille, pour nos fils et nos petits-fils, de pouvoir faire leur vie dans des pays en paix comme le nôtre ! Chaque soir, quand la grand-messe télévisée nous abreuve de massacres et de combats perpétrés ailleurs, je te remercie, mon siècle, de préserver ce coin-ci de la Planète et de nous permettre de nous

---

1. Espérance de vie des hommes en 1800 : 40 ans ; espérance de vie en 1900 : 50 ans ; aujourd'hui, elle dépasse 70 ans dans tous les pays développés.

endormir sans trembler pour nos vies ni pour celles de nos enfants. Je n'ai pas honte de profiter de cette concorde entre des nations qui furent naguère ennemies. Elle ne me fait pas oublier la terreur qui s'abat encore sur tant de peuples martyrs. Notre quiétude devrait au contraire nous encourager à militer pour que notre paix ne demeure pas un privilège et à tout faire pour qu'elle devienne le premier des Droits de l'Homme.

Parlant du jugement qu'il porte sur lui-même, Voltaire constate : *Beaucoup de mal quand je me considère, beaucoup de bien quand je me compare.* Cette phrase m'a poursuivie tout au long de la préparation de ce livre, car c'est exactement ce que je pense de toi, mon siècle. Tout n'est pas parfait de nos jours, ni même simplement satisfaisant, mais tant de choses sont moins mal qu'autrefois ! Il suffit de piocher dans ses souvenirs pour se rendre compte de tout le chemin parcouru.

J'y songeais en regardant à la télévision une manifestation de femmes noires aux États-Unis[1]. Par centaines de milliers, elles défilaient pour réclamer une amélioration de leur sort, de celui de leurs enfants : davantage de sécurité, une réforme de l'enseignement, une

---

1. Manifestation en octobre 1997 à Philadelphie.

meilleure couverture sociale, etc. Ce que toute femme, quelles que soient ses origines, peut exiger quand elle vit dans une grande cité moderne. Première réaction : nous vivons une époque barbare, puisque tant de femmes se mobilisent pour solliciter des pouvoirs publics le simple respect des conditions élémentaires de survie, pour elles et leurs familles. D'un autre côté, comment imaginer, dans les siècles passés, une telle foule osant interpeller les pouvoirs publics dans les rues en prenant des milliards de téléspectateurs à témoin de ses revendications ? Des femmes, noires de surcroît, contestant l'action de l'État en place devant la Planète entière ! On a vu les fusils du « bon droit » tirer pour moins que ça, dans le temps ! Ce pouvoir de gueuler sans danger quand ça ne va pas est un acquis très récent, mon siècle. Je fais partie de celles et ceux qui t'en sont redevables ; cela non plus, je ne l'oublierai pas.

Tel est donc le projet de ce livre : te rendre ce qui t'appartient, cher siècle finissant. Cette grande révolution de la vie individuelle et privée qui a transformé en mieux le quotidien de tant de gens. À commencer par les enfants, si tard reconnus comme des êtres humains à part entière. Dans notre époque tonitruante, surinformée, gorgée d'images et de récits, où ne cesse d'être racontée à tous l'Histoire en train de se faire aux quatre coins de l'Univers, on entend si rarement s'élever la petite mélodie de la vie en rose ! Il n'y a pourtant pas de mal à souligner tes avancées, cher siècle en perpétuel mouvement vers plus de progrès. Loin de démobiliser, ce constat positif peut inciter au contraire à rechercher ce qui bloque encore l'épanouissement et le bien-être de tous, à se battre pour obtenir d'autres progrès. Ce que certains possèdent déjà vaut la peine d'être mis en lumière pour que d'autres l'obtiennent.

Dans le film *La Famille*, d'Ettore Scola, le héros, devenu grand-père, explique qu'à son âge il ne vit plus que dans ses souvenirs. « Les plus désagréables sont les bons souvenirs, car ils permettent de mesurer ce que l'on a perdu... Les meilleurs sont les mauvais : ils réévaluent ce que l'on a aujourd'hui... » Je ne suis pas tout à fait d'accord avec la première observation : les bons souvenirs ne me rendent nullement mélancolique, on ne perd jamais ce que l'on a vécu d'heureux ; au contraire, les moments de bonheur représentent un capital inviolable que personne ne peut plus jamais vous ôter. En revanche, j'adhère totalement à l'idée de revisiter le présent à la lumière des difficultés du passé ; on mesure alors quels fantastiques changements sont intervenus.

Cette visite commentée de notre quotidien contemporain paraîtra forcément incomplète et partiale à beaucoup ; elle ne prétend pas tout répertorier, tout expliquer, ni même tout comprendre. Il s'agit juste, cher siècle, avant ton départ, de ne pas faire preuve de trop d'ingratitude en oubliant les victoires, les révolutions, les découvertes, les transformations, les mutations qui ont bouleversé nos façons de vivre, au jour le jour, depuis que tu as commencé.

Les voici, classées mais non hiérarchisées. La qualité de la vie est affaire individuelle. Ce qui est essentiel à mes yeux pourra sembler superflu à d'aucuns, et inversement. Une seule certitude, pourtant, valable pour tous, sous tous les cieux et à tous les âges de la vie : la primauté de la santé.

Chapitre premier

Les victoires de la santé

Dans le domaine de la santé, cher siècle, je ne te ferai pas l'injure de te comparer à tes devanciers. Vous ne boxez pas dans la même catégorie. Ils comptaient leurs morts, tu peux t'enorgueillir de tes vivants.

Avec toi a commencé la vraie croisade des mieux-portants.

Jusque-là, médecins, religieuses, rebouteux, guérisseurs de toutes sortes avaient livré un combat désespéré contre la maladie et la mort. Les valides ne les intéressaient guère, ils manquaient de temps et de moyens à leur consacrer. Les affections banales, les petites douleurs, les inconvénients physiques inhérents à tout parcours physiologique relevaient des bonnes femmes et de leurs remèdes. Ceux qui avaient la chance de naître avec leurs membres au complet, leurs organes en parfait état de marche, pouvaient remercier le Ciel et leurs gènes familiaux de qualité supérieure. Les autres devaient s'accommoder de leurs infirmités. Presque chaque bourgade comptait un ou plusieurs pieds-bots[1], becs-de-lièvre[2], bossus, boiteuses de tous âges. Aujourd'hui, ces malfaçons de la nature se réparent presque toutes avant la puberté, parfois dès la toute petite enfance. En cour de récréation, la méchanceté des enfants ne s'exerce plus aux dépens des « bancroches » moins favorisés qu'eux. Les commères y ont perdu une belle occasion de persifler ; elles maniaient si fielleusement les sous-entendus au moment des fiançailles, évoquant telle tante bancale ou tel oncle simplet : « La petite fiancée lui ressemble tellement... », « Tout le portrait du jeune promis... » !

Jusqu'à ton avènement, cher siècle, les grands maux s'abattaient sur tous, sans discrimination de condition. La peste, le choléra ou simplement la grippe[3] décimaient des villes,

---

1. Pied difforme par rétraction des tendons et des ligaments, souvent associée à des malformations osseuses.

2. Malformation congénitale de la face qui se présente sous la forme d'une fissure de la lèvre supérieure, parfois associée à une fente du palais.

3. En 1918-1919, la grippe « espagnole » – l'épidémie avait commencé en Espagne – a fait vingt millions de morts, pour la plupart âgés de vingt à quarante ans, en Amérique du Nord, en Russie, en Chine et dans toute l'Europe. En France, presque chaque famille comptait un mort à la guerre et un mort de la grippe.

des régions, des nations entières. À chaque épidémie, on comptait ses morts. Encore heureux quand il ne s'agissait que d'enfants ou de vieillards ! Tant que l'homme et la femme en âge d'assurer la survie des autres en réchappaient, le pire était évité. Dans *La Soupe aux herbes sauvages*[1], Émilie Carles constatait lucidement : *Avant 14, la mort frappait rudement. Dans presque toutes les familles, il en mourait un pour un de vivant ; j'en ai vu qui en enterrait deux dans la même semaine. Quand un enfant mourait, pour peu qu'il n'ait pas dépassé les cinq ans, on ne s'émouvait guère. L'homme disait à la femme : « Pourquoi pleures-tu ? Cet enfant ne fait faute à personne ; au contraire, voilà une bouche en moins à nourrir. Que diable, ce n'était pas un gagne-pain, cesse donc de pleurer ! »* Aujourd'hui, cette résignation peut paraître monstrueuse ; elle tenait lieu jadis d'autodéfense contre la fatalité : la mort était si présente, si évidente, dès que « les fièvres » attaquaient, qu'il fallait bien se trouver des raisons de tolérer l'intolérable.

---

1. Éditions Jean-Claude Simoën, Paris, 1977.

Nous sommes tous des miraculés

Nous, les êtres humains qui entrerons debout dans le troisième millénaire, sommes presque tous des miraculés. Combien de fois avons-nous échappé à la mort, évité par la vaccination, surmonté par la pénicilline ou la cortisone[1] des maladies graves, récupéré d'accidents invalidants grâce à la chirurgie, conservé nos facultés malgré les déficiences génétiques ou fortuites de nos organismes ?

Nous portons souvent des cicatrices (de plus en plus fines) parce qu'à l'intérieur nous sommes bricolés de partout : un *pacemaker* par-ci, une petite broche par-là, des « tuyauteries » en plastique, des prothèses en tout genre, des vis, des clous, des implants, c'est incroyable la « quincaille[2] » que nous trimballons en oubliant complètement que ces pièces détachées ne sont pas d'origine à l'intérieur de

_____

1. Je cite pénicilline et cortisone, je pourrais lister cent autres médicaments qui ont totalement révolutionné la thérapeutique des maladies infectieuses. Le Vidal – ce gros bouquin que votre docteur consulte pour vérifier la posologie des médicaments – est bourré d'autres exemples aussi souverains.
2. Ce mot avait été inventé par Louis Armand dans les années 50, au tout début de l'informatique, pour franciser le terme de *hardware*. Il préconisait également « mentaille » comme traduction de *software*. À défaut d'avoir été adoptés pour les ordinateurs, je trouve ces vocables assez bien adaptés aux techniques chirurgicales et psychiatriques modernes...

notre petite personne. Mais il paraît logique de rendre toutes leurs chances de gagner à de jeunes sportifs après des accidents gravissimes qui, jadis, auraient mis un point final à leur carrière. Parfois même, on bricole leur « normalité » pour améliorer leurs performances. La chirurgie ne se contente pas de réparer, elle peut transformer, reconstruire, réinventer presque tous les organismes. Surtout elle rend espoir à tant de condamnés du passé, sauvés au présent !

Chacun de nous connaît désormais dans son entourage un ou plusieurs cas de cancéreux, solides au poste depuis plusieurs années : « Tu sais, Unetelle va être opérée d'un cancer du sein... » Dès que le terrible diagnostic se confirme, un vieux réflexe nous incite à envisager le pire. Quelques mois plus tard, amaigrie, fatiguée, le cheveu ras, Une telle réapparaît. Des opérations réitérées, des traitements longs, pénibles, douloureux mais efficaces, l'ont arrachée à la mort. Elle n'est pas guérie – médecins et malades refusent de prononcer ce mot : par prudence pour les premiers, par superstition pour les autres –, elle n'en est pas moins présente. Peu à peu, les cheveux repoussent, les traits du visage se remettent en place, le sourire et les forces reviennent. Dans un premier temps, on parle de répit, puis de rémission. Je peux citer autour de moi au moins dix cas de femmes et d'hommes qui racontent ainsi, plusieurs années après l'alerte, les péripéties de « leur cancer » comme mon oncle Pierre ressassait inlassablement l'historique de ses poumons gazés dans les tranchées de 1917. Preuve absolue du rétablissement : l'« ex »-(cardiaque, cancéreux, etc...) parle de moins en moins souvent de son « combat » ; il se considère désormais comme un « ancien », attentif à jamais, mais reprenant goût peu à peu aux choses de la vie.

Il y a vingt ans, par peur d'un pronostic presque toujours fatal, on n'osait même pas prononcer le mot « cancer ». On était atteint d'« une très grave maladie », on faisait l'ablation d'une « tumeur maligne », on pratiquait le mensonge parce que la vérité était synonyme de désespoir. Certaines familles suppliaient les médecins d'éviter les termes « tumeur », « chimiothérapie », « Curie », « Villejuif » ; ils risquaient de semer la panique dans l'esprit de celui qui ne devait savoir ni la nature, ni même le nom du mal qu'il était censé combattre. Grâce aux avancées du XXe siècle, les détections interviennent de plus en plus précocement, les traitements se diversifient et s'améliorent, les chances de guérison augmentent. La vérité n'est plus un verdict de mort, mais une arme de combat. L'espoir offert au malade doit l'aider à lutter aux côtés de ceux qui le soignent.

Les patients doivent avoir le moral

Ayant écrit dans un éditorial sur l'optimisme : *Est-ce vraiment une si mauvaise manière que d'avoir bon moral parce qu'il fait beau (ou qu'il pleut, ce qui est excellent pour les nappes phréatiques), que l'on n'est atteinte d'aucune maladie grave et que l'on s'endort chaque soir la conscience à peu près en paix, sans avoir fait de mal autour de soi, ni éprouvé dans sa chair la grande détresse de la misère, ni dans son esprit les affres de la désespérance ? Pourtant, j'ai remarqué que ma façon – un peu systématique, certes – de sourire à la vie ne suscite guère la sympathie*[1], je reçois une réponse d'une lectrice qui me donne, sans le savoir, une magnifique leçon de courage. Elle écrit : *Pourquoi dites-vous qu'il faut avoir bon moral quand on ne souffre d'aucune maladie grave ? Cela laisserait croire qu'on est en droit de le perdre quand on se sait atteint d'un cancer ? Or c'est justement le moment où l'on a le plus*

---

1. *Madame Figaro*, 6 septembre 1997.

besoin de se montrer optimiste. Pour donner à la guérison des chances d'intervenir, il faut cultiver rageusement, dans sa tête et dans son cœur, l'absolue certitude de s'en sortir. Certains se laissent mourir ; d'autres, comme moi, se « forcent » à vivre.

Hélas, la mort gagne encore souvent le combat, mais les chances de survie ne cessent d'augmenter[1]. La souffrance demeure inévitable pour recouvrer ses capacités, mais la douleur et les handicaps durent de moins en moins longtemps. Les réanimations progressent, les hospitalisations raccourcissent, les rééducations se perfectionnent. Les patients changent de statut. De corps (presque) vides d'espoir et de forces, ils deviennent des organismes presque pleins de ressources et de volonté. Plus question de rester au lit trop longtemps après une intervention, un accouchement, une crise cardiaque : « Allez, hop, debout ! Un peu d'énergie, que diable !... » Le ventre ouvert par le milieu, un membre dans le plâtre, tel ou tel organe en moins ? Des infirmières vous forcent à vous lever. Leur énergie n'a d'égale que la terreur du malade à l'idée de remettre sur ses deux pieds son corps doulou-

---

1. Taux de survie à cinq ans : cancers de la peau : 90 %, du testicule : 90 %, du sein : 60 %, du côlon : 30 % (si dépistage précoce : 90 %).

reux et mutilé. Étonnante machine humaine : la plupart parviennent dès le lendemain à faire quelques pas pour aller s'effondrer dans le fauteuil prévu à cet effet.

Le mouvement qui guérit

Vélo pour les cardiaques, natation pour les rhumatisants, marche à pied pour les personnes âgées, gymnastique pour les cancéreux : ce siècle a découvert que le mouvement, loin de fatiguer un organisme affaibli, lui est indispensable pour récupérer ou maintenir ses capacités vitales. La médecine moderne n'a qu'une idée : interrompre le moins longtemps possible le cours normal d'une existence perturbée par un accident de santé. Les gentils docteurs nous recommandent de plus en plus rarement de rester couchés pour guérir.

Nous, les malades, en revanche, nous mettons très volontiers au lit dès que nous nous sentons quelque peu patraques. Depuis des siècles, il s'agit là du seul signe extérieur de mal-être. L'association lit/maladie est si bien enracinée dans notre culture que nous préférons nous soigner couchés que debout. Si on s'assied dans le living avec 38°5, si on part au bureau avec une méchante sciatique, comment

préserver sa tranquillité, obtenir calme et
attention de la part de son entourage ?
Allongés, nous ne sommes pas moins malades
– parfois même nous le sommes ou croyons
l'être davantage –, mais nous pouvons ainsi
obtenir des autres qu'ils nous considèrent
comme souffrants sans qu'il soit besoin de
nous plaindre pour leur rappeler notre triste
état. Je me suis souvent demandé si le côté
insupportable de certaines douleurs (rages de
dents, migraines, lumbagos, etc.) ne résultait
pas en grande partie de leur caractère ambula-
toire et de l'absence de fièvre qui les accompagne... Comme si avoir l'air « normal » tout
en étant au supplice abaissait le seuil de tolérance à ces formes de souffrance.

Pauvres écoliers d'aujourd'hui qui ne
connaissent pour ainsi dire plus les semaines à
la chambre avec une grosse bronchite ou une
interminable rougeole ! Les jours d'arrêt de
travail scolaire ont tellement diminué depuis
les antibiotiques et les vaccinations ! Avec
trois cuillerées de sirop par 24 heures, impossible – sauf à tricher en frottant le thermomètre
très fort pour qu'il monte[1] – de rester fiévreux
plus de deux ou trois jours. Les enfants y ont

---

1. Même cet expédient va devenir totalement impraticable
avec la disparition des thermomètres à mercure. Les modèles
électroniques sont infalsifiables !

perdu énormément de congés maladie, mais les mères et grand-mères[1] peuvent organiser leur vie professionnelle et privée avec des absences plus courtes et point trop fréquentes.

La révolution de l'infirmerie domestique

Petite, j'étais fragile des bronches. Je vois encore ma grand-mère passer des semaines, assise à côté de mon lit, à me soigner et à me raconter des histoires quand je rechutais, plusieurs fois durant l'hiver. Elle luttait contre les microbes avec des cataplasmes, des ventouses, des enveloppements sinapisés, des inhalations et des tisanes destinés à faire baisser la fièvre. Je l'entends encore me recommander en multipliant tricots et couvertures : « Ne te découvre pas... Reste bien au chaud... Plus tu auras chaud, plus tu guériras vite... » Je crois qu'elle me dorlotait exactement comme sa mère l'avait fait dans son enfance et comme elle avait ensuite soigné ses propres enfants. Mère à mon tour, j'ai conservé certaines de ses façons de faire : je prenais la température des enfants dès que je les sentais un peu patraques, je les couvrais plus (trop ?) quand leur nez

_____

1. De temps à autre, certains pères jouent aussi les garde-malades. Mais à dose homéopathique !

coulait, je croyais encore à la vertu des fumi-
gations et du lait chaud au miel.

Avec mes petits-enfants, j'ai dû admettre
que le domaine de l'infirmerie domestique
était radicalement modernisé. Les rhino-
pharyngites dévastent encore les maternelles
et les écoles primaires, mais plus question de
garder les enrhumés à la chambre. Avec un
bon sirop, quelques suppositoires, une dou-
doune et un bonnet, ils peuvent aller éternuer
leurs microbes au nez de leurs petits camarades. Quant à la prise de température, elle
semble superfétatoire en cas d'angines, otites
ou rhinites sans complications majeures.
Quand je demande aux parents : « Combien a-
t-il ? », « Est-ce qu'elle a de la fièvre ? », je
sens bien qu'ils me trouvent un peu rétro.
Trois réponses suffisent à rendre compte de la
situation :

1) « il/elle n'est pas chaud(e)... » Traduction : « Je n'ai même pas cru bon de lui
prendre sa température. Nous ne vivons plus
(comme vous, les grand-mères) le thermomètre à la main ! »

2) « il/elle est un peu chaud(e)... » Traduction : « J'ai tâté ses mains et son front, sa température doit osciller entre 37°9 et 38°2, quelle
différence ? Après quelques jours d'antibio-

tiques, la fièvre aura forcément baissé. Il sera toujours temps de la prendre si elle résiste. »

3) « il/elle avait au moins 40°, cette nuit... » Traduction : « L'enfant était vraiment chaud quand je me suis levé au milieu de la nuit. Je n'ai jamais pu remettre la main sur le thermomètre. J'ai appelé le médecin. »

J'ai vérifié par moi-même à diverses reprises que le « au moins 40° » indique en règle générale une température supérieure à 38°5.

Parfois, vois-tu, cher siècle hyper-médicalisé, je me demande si tu ne nous as pas rendus un peu « tête-en-l'air » en matière sanitaire. À force d'avoir mis au point des traitements rapides et efficaces contre la plupart des maladies courantes, tu nous as fait oublier la réelle fragilité de l'organisme humain. Surtout quand il s'agit d'êtres si petits !

Se soigner sans se ruiner

Encore une avancée à ton actif : tu as été le premier à démocratiser la santé, à imposer l'idée que le coût des soins doit être supporté par tous, bien et mal portants, et non pas incomber aux seuls malades. Avant toi, en Europe, seuls les riches pouvaient recourir à la médecine : ils le faisaient à leurs frais. Les autres, les pauvres, ne pouvaient s'attendre à être soignés que par des âmes charitables ou des praticiens au grand cœur exerçant la médecine comme un sacerdoce. Désormais, grâce à toi, neuf Européens sur dix trouvent normal de se soigner, sans pour autant se ruiner, quand quelque chose ne va pas. Je parle bien ici de l'Europe où les risques sanitaires sont pris en charge pour l'essentiel par des systèmes plus ou moins généreux de Sécurité sociale. Certes, tout le monde n'en bénéficie pas de la même manière et tous les traitements ne sont pas remboursés[1] ; les limites se multiplient pour les assurés au fur et à mesure que les déficits se creusent ; les médecins se sentent de plus en plus contrôlés. Néanmoins, il faut avoir l'honnêteté de reconnaître que la grande misère thérapeutique, le dénuement total face à la maladie n'existent pour ainsi dire plus dans nos pays. Il y a presque toujours un Samu social prêt à secourir ceux qui sont à bout de droits et de ressources, qui n'ont même plus le désir d'être sauvés. La richissime Amérique et la Russie ruinée ne peuvent se vanter d'une

---

1. Pourquoi accepte-t-on que 33 % du budget de la Sécurité sociale soient consacrés aux ravages de l'alcoolisme (les alcooliques occupent 45 % des lits d'hôpitaux en médecine générale), alors que les frais de dentiste sont toujours aussi mal remboursés, bien qu'une mauvaise dentition entraîne des conséquences éminemment néfastes sur l'état général ?

pareille égalité face à la maladie pour l'immense majorité de leurs concitoyens.

J'entends d'ici les persifleurs de malheur, scandalisés par ce *satisfecit* que je décerne à notre système social et sanitaire pour l'état de mes contemporains. Qu'ils se rassurent : je n'oublie ni la misère, ni la dépendance, ni les mains tendues aux coins des rues, ni les enfants privés de cantine parce que leurs parents ne peuvent payer les tickets, ni les chômeurs en fin de droits, ni les SDF, ni les vieux dans les hospices... Je n'oublie pas non plus le quart monde et son dénuement. Je veux simplement rappeler qu'aux autres siècles, ce n'était pas le quart, mais les trois quarts au moins de nos sociétés qui vivaient au-dessous du seuil de pauvreté et de santé. Les trois quarts de nos ancêtres laissés à eux-mêmes face à la maladie ? Mais ne serait-ce pas plutôt les neuf dixièmes ? Je vais choquer, tant pis : pour ce qui concerne la santé physique, il vaut beaucoup mieux être un chômeur de la fin du XXe siècle qu'un mineur de la fin du XIXe... Relisez Zola, si vous n'en êtes pas convaincus !

Certes, le XIXe a ouvert bien des portes ; je n'oublie ni Laennec, ni Koch, ni Pasteur ; mais les malades, s'ils étaient un peu mieux soignés au fil du temps, n'étaient que rarement guéris. La recherche fondamentale progressait à pas de géant dans les laboratoires vieillots

d'un Claude Bernard à Paris ou d'un Rudolph
Virchow en Prusse[1]. Cependant, pour un
Joseph Meister sauvé de la rage en 1885[2],
combien de morsures de chien ou de renard,
d'égratignures de rosier[3] tuaient encore à coup
sûr à la fin du siècle dernier ?

L'insouciance médicale des jeunes

Désormais, les générations vivent sans
même s'en rendre compte dans une sorte
d'insouciance médicale étonnante. Dangereuse, aussi, car ils n'ont pour ainsi dire pas
appris, dans leur majorité, à se méfier de la
maladie comme d'un ennemi. Pour mettre les
jeunes générations en garde contre le danger
mortel du Sida, il a fallu multiplier des campagnes médiatiques de plus en plus osées, puis
répéter, marteler, retenir l'attention par le choc

---

1. Médecin allemand, fondateur de la pathologie cellulaire
appliquée. Mort en 1902.

2. Nous avons tous entendu raconter dans notre enfance l'histoire du petit berger alsacien sauvé par Pasteur. Depuis lors, les
vaccinations sont devenues si fréquentes dans la vie des écoliers
qu'on n'éprouve sans doute plus le besoin de leur raconter l'origine de ces piqûres obligatoires ou de ces cutis qu'ils détestent.

3. Encore aujourd'hui, trop de campagnards amateurs igno-
rent que le tétanos les menace quand ils se blessent en jardinant.
Le vaccin antitétanique est parfaitement efficace et ne doit être
renouvelé que tous les dix ans.

des images, Combien d'ados prennent des risques insensés, persuadés que l'Amour, le grand, partagé avec un/une autre soi-même, ne peut à l'évidence pas être séropositif !

Quand j'étais enfant, les adultes passaient leur temps à nous mettre en garde : « Attention... Ne touche pas la main de gens que tu ne connais pas... Ne joue pas avec les enfants qui toussent... Ne bois pas l'eau du robinet... Ne t'assieds pas sur des toilettes inconnues... » Tous ces interdits traduisaient leurs propres hantises : la science avait révélé l'existence des principaux microbes sans avoir encore trouvé les armes pour les combattre. Les générations actuelles viennent de revivre le même cauchemar avec le Sida : identifier un ennemi sans disposer des moyens d'en venir à bout engendre forcément la panique.

Chez nous comme dans beaucoup d'autres familles citadines, les deux épouvantails s'appelaient tuberculose et poliomyélite. Je suppose que la syphilis devait aussi terrifier les adultes, mais on ne parlait pas de ces choses-là devant les enfants. Nous étions supposés être des anges et quand nous demandions pourquoi le très vieux cousin avait la peau bleue[1], nous

---

1. Certains traitements au mercure, utilisés aux XVIIIe et XIXe siècles pour lutter contre les maladies vénériennes, laissaient à vie un teint couleur « acier ».

obtenions des réponses évasives. Ce mystère ne faisait d'ailleurs qu'attiser notre curiosité. Ce n'est qu'une fois adulte que j'ai su les ravages causés par la vérole du temps de mes grands-parents et les miracles accomplis par la pénicilline sur les maladies vénériennes. Grâce à elle, nous nous sommes offert quelques belles années d'insouciance pendant lesquelles on a pu dissocier sexe et maladie dans le même temps où la pilule dissociait sexe et fertilité.

Ces années de sécurité sexuelle reviendront-elles jamais ? Pas exclu. Mais pas de sitôt. En tout cas, pas avant que le vaccin contre le Sida ne soit au point, et obligatoire[1]. Il est maintenant certain que le prochain siècle rayera ce fléau de la vie de nos petits ou arrière-petits-enfants, tout comme le BCG a dissipé la hantise de la tuberculose.

Les grands fléaux : tuberculose et polio

Bacille de Koch, primo-infection, sanatorium, pneumothorax : autant de termes médicaux ignorés des moins de quarante ans. Tous

---

1. Ce temps n'est pas si éloigné, tous les médecins pensent que d'ici quelques années, on aura trouvé, fabriqué et diffusé le vaccin anti-Sida.

ont un rapport avec la tuberculose, le fléau social le plus répandu dans l'Europe continentale avant la découverte du BCG. La primo-infection était à la tuberculose ce que la séropositivité est au Sida : un stade préliminaire qui ne se développait pas toujours jusqu'à la maladie, mais devait faire l'objet d'une surveillance serrée. Souvent, la « primo » se déclarait au moment de l'adolescence, quand l'organisme, fatigué par une croissance trop rapide, parfois mal nourri – surtout pendant les guerres, les crises économiques –, n'opposait pas une résistance suffisante au bacille. Toutes les mères attentives en connaissaient les symptômes annonciateurs : une petite toux sèche, une grosse fatigue, un peu de fièvre, surtout le soir. Quand la radiographie[1] confirmait le diagnostic du médecin de famille et de son stéthoscope, les parents paniquaient. Montagne, repos, nourriture abondante : la seule arme dont on disposait contre la tuberculose consistait à renforcer les défenses de l'organisme par une bonne hygiène de vie. Bien avant la mode des sports d'hiver, les alpages se sont ainsi peuplés de citadins aux yeux cernés qui espé-

---

1. Découverte de la radiographie par Röntgen en 1895 (Prix Nobel en 1901). Les applications en médecine pour le diagnostic et la thérapeuthique (radiologie) se sont développées au XXe siècle.

raient faire cicatriser leurs poumons en inhalant l'air pur. Est-il besoin de souligner que ces séjours en altitude n'étaient pas à la portée des classes défavorisées ?

Certes, la pollution actuelle, liée à la circulation automobile dans les grandes villes, empoisonne les poumons des jeunes citadins, mais elle ne les détruit pas aussi irréversiblement que le bacille de Koch dans les quartiers déshérités[1] du siècle dernier. Une remarque au passage : quand le *fog*, mélange de brouillard et de fumée, encrassait les villes chauffées au charbon comme Londres, les enfants en bas âge couraient également des risques en respirant dans les rues. Depuis que le fuel et l'électricité ont relayé le bois et le charbon, le chauffage n'est plus guère dangereux pour les bronches. La circulation l'a hélas remplacé !

Vous souvenez-vous de Franklin Roosevelt, le président des États-Unis avant et pendant la dernière guerre ? Sa photo à la conférence de Yalta, entre Winston Churchill et Joseph Staline, orne tous les livres d'histoire contemporaine. Si tous les trois ont été immortalisés assis, c'est parce que Roosevelt ne pouvait se

---

1. Juste pour vous faire sourire : je signale au passage que, de nos jours, les banlieues sont en général moins polluées par la circulation automobile que les quartiers chics ou ceux du centre ville !

lever : dans sa jeunesse, la poliomyélite l'avait privé de l'usage de ses jambes. J'avais deux ans quand Roosevelt fut élu pour la première fois à la Présidence. Je pense que la peur obsessionnelle que la polio inspirait à ma mère venait en grande partie de son admiration pour l'homme du New Deal. Comme il en avait d'abord été de toutes les maladies depuis les origines de l'humanité jusqu'à toi, mon siècle de la vaccination systématique, il n'existait absolument aucun moyen de prémunir les enfants contre une éventuelle poliomyélite. Ni guère de façon de les soigner, une fois atteints. Pendant des semaines, il fallait attendre le verdict du destin. Une infirmité, dans quelle proportion ? La paralysie de quels membres ? Une simple faiblesse, ou un handicap à vie ? Imagine-t-on l'angoisse des proches, face à de telles interrogations ? Il n'y a pas si longtemps que le vaccin a mis fin à ces perspectives terrifiantes[1] : pas même un demi-siècle !

---

1. 15 février 1954 : les usines pharmaceutiques Berhing, en Allemagne, annoncent la mise au point du premier vaccin contre la poliomyélite. D'après l'OMS, en 1990, 80 % des enfants au monde sont immunisés contre les six principales maladies infantiles : rougeole, diphtérie, coqueluche, tétanos, poliomyélite, tuberculose.

Une bonne dose de culpabilité

Jusqu'à ces cinquante dernières années, avoir une bonne santé – enfant ou adulte, même constat – résultait donc d'une série de hasards, ou plutôt de chances. En rencontrant certains organismes, virus, microbes, bactéries passaient leur chemin. Ils s'attaquaient à d'autres, moins costauds peut-être, surtout moins chanceux ! Sortis des prières et des superstitions, les humains se sentaient complètement désarmés. De même ne pouvaient-ils se sentir responsables quand le mal s'abattait sur des êtres qu'ils étaient supposés protéger, voire sur eux-mêmes. Le malheur de tous rendait sans doute plus supportable l'enfer de chacun.

Nous disposons à présent d'un arsenal préventif très puissant, de traitements adaptés à chaque affection, d'une chirurgie quasi miraculeuse. Nous pourrions donc nous sentir plus tranquilles. C'est le contraire, depuis qu'on nous explique que nous sommes en partie responsables des maladies que nous contractons ! Pas totalement, bien sûr. Mais assez pour ajouter une bonne dose de culpabilité à une solide dose d'ennuis de santé. Plus les mises en garde se multiplient, plus nous avons mauvaise

conscience de *nuire gravement à notre santé*[1].
Plus les traitements progressent, plus nous
nous révoltons quand ils échouent. Plus la
mort recule, plus elle devient inadmissible.
Plus les potentialités se sophistiquent, plus des
problèmes d'éthique se posent et se poseront.
On ne va quand même pas te reprocher, mon
siècle manipulateur de gènes et façonnier de
clones, de nous confronter à des dilemmes
cornéliens parce que tu auras compliqué, en
l'améliorant, l'équation de la vie et de la survie ! Ah, comme les humains étaient peinards
quand ils n'avaient d'autre choix que de s'en
remettre à la fatalité pour tracer le parcours du
vivant !

Mention spéciale aux seniors

Je ne voudrais pas clore ce chapitre sur la
santé sans une mention spéciale pour les bienfaits que nous te devons, nous, les seniors et
seniorettes du monde moderne, ex-« vieillards » des siècles passés. La révolution de la
longévité va marquer le prochain siècle, car tu

---

1. *Nuit gravement à la santé :* expression inscrite sur tous les
paquets de cigarettes, tout comme *L'abus d'alcool est dangereux
pour la santé* orne les bouteilles. Les vrais intoxiqués ne
remarquent même plus ce type d'inscriptions.

vas lui refiler des hordes de vieux bébés en bon état de marche. Tu me diras que ce n'est pas ton problème : il faudra attendre une bonne dizaine d'années avant que l'opinion et les pouvoirs publics prennent conscience de l'ampleur socio-économique du phénomène. Tu ne seras plus là pour le voir. Moi j'y serai encore, grâce à toi, dans une forme physique inespérée jadis à mon âge.

Durant le troisième tiers-temps de la vie, la médecine d'aujourd'hui lutte pied à pied contre la déchéance et le mal-être. Elle ne se résigne plus à voir les corps se déformer ni les fonctions se perdre sans tenter d'y porter remède. Dans mon enfance, la majorité des vieilles étaient rabougries, elles marchaient cassées parce que leurs os n'avaient plus la qualité suffisante, ni leurs muscles la force nécessaire pour leur permettre de rester verticales jusqu'au bout de leur vie. Certes, les jeunes de maintenant ont souvent mal au dos – on dit même que c'est le « mal du siècle » –, mais n'oublions pas que nous n'avons plus besoin de corsets pour nous tenir à peu près droites ! Tout nous incite au contraire à secouer notre paresse pour préserver nos muscles d'une fonte trop rapide et garder notre silhouette d'aplomb sous nos cheveux blancs.

On rencontre encore quelques-unes de ces « petites vieilles » pliées à angle droit ; elles ne seront bientôt plus qu'un souvenir, images du passé illustrant les livres d'enfants : un fagot sur le dos, la mâchoire édentée, l'air de sorcières. Petite fille, je les ai souvent croisées, un fichu sur la tête, les pieds dans des sabots ou des charentaises. De nos jours, même aux âges les plus avancés, les « mamies » nonagénaires des maisons de retraite ne leur ressemblent guère, avec leurs cheveux permanentés et leurs tenues proprettes.

Plus les années passent, plus les techniques médicales s'efforcent de maintenir les corps de femmes en bon état de marche. Quand l'ostéoporose risque de nous fragiliser, les hormones peuvent conserver presque intacte la qualité de nos os. Certes, l'hormonothérapie ne date que d'une vingtaine d'années, elle constitue encore un privilège réservé aux femmes bien informées : comme tant d'autres avancées, il faut attendre qu'elle pénètre les mentalités. Je me souviens encore des campagnes anti-œstrogènes menées par les partisans du « laisser faire la nature » – et pourquoi pas de « l'enfantement dans la douleur », pendant qu'on y est ? Les mêmes protecteurs des malédictions naturelles ont également combattu la péridurale à ses débuts. Heureusement, tu as toujours réussi, cher siècle, à leur clouer le bec grâce à l'adhésion massive des femmes et de leurs médecins, surtout les femmes-médecins, si nombreuses désormais[1].

Les grands-pères aussi ont redressé leur silhouette et assoupli leur démarche. Jusqu'à quatre-vingts et quelques années, ils se servent plus volontiers d'une canne pour randonner au long cours que pour faire quelques pas hésitants avant de se laisser choir sur un banc ou à la terrasse d'un café. Je suis persuadée qu'au prochain siècle ils recourront eux aussi à des traitements hormonaux pour passer plus vaillamment le cap de leur andropause.

Hommes ou femmes, il n'y a plus d'âge limite pour rendre la vue aux regards opacifiés par la cataracte. Même si la lumière ne revient que pour quelques années, plus personne n'hésite à subir une intervention rapide comme un laser et presque sans risques[2]. Je repense souvent à cette vieille dame aveugle pendant les dix dernières années de sa vie ; c'était avant la dernière guerre et on avait considéré qu'à quatre-vingts ans passés, ça ne « valait pas vraiment la peine de » – sous-

---

1. Le corps médical français regroupe environ un tiers de femmes : 70 000 sur 200 000 praticiens.

2. Je dis « presque », car il n'existe aucun geste thérapeutique sûr à cent pour cent...

entendu : « pas la peine de dépenser tant d'argent pour » – l'opérer de la cataracte. L'an dernier, on a implanté aux États-Unis 1 600 000 cristallins artificiels, 320 000 en Allemagne, 200 000 en France. Grâce à toi, mon siècle, les plus de soixante-dix ans ont gagné des millions d'années de lumière !

Je pourrais multiplier à l'infini les exemples de ces aide-à-vivre mis au point, fabriqués et diffusés depuis cent ans, disserter pendant des pages sur les lunettes, les verres progressifs, les lentilles de contact, les prothèses auditives, celles de la hanche, les *pacemakers*, la péridurale, les antiisthaminiques, les semelles orthopédiques, les analgésiques, les anti-inflammatoires, tous les anti-petites-ou grandes-douleurs-au-quotidien, etc. Je pourrais surtout composer une ode aux dentistes, à l'anesthésie locale, aux nouvelles « roulettes » qui ne vibrent plus, à la lutte victorieuse contre les abcès et les caries, à l'ingéniosité des prothésistes, à la découverte des implants...

Merci, mon siècle, de m'avoir épargné tant et tant de misères physiologiques qui pourrissaient le vécu de mes aïeux. Merci, surtout, de nous avoir aidés à comprendre l'importance de ce qui se passe dans la tête et dans le cœur pour se sentir bien dans son corps... et réciproquement.

Le XXIe devra démocratiser les « psy »

Tout ce qui porte un nom en « psy » était ignoré, redouté, décrié il y a peu d'années encore. On conseillait aux « mal-dans-leur-peau » de se « secouer », puisqu'« ils avaient tout pour être heureux ! » La dépression nerveuse n'était pas considérée comme une maladie, mais comme une faiblesse de caractère, un laisser-aller de l'âme. On enfermait les « fous », sans même essayer de les soigner ; la camisole de force employée depuis des siècles pour paralyser les « furieux » était encore d'un usage courant dans ma jeunesse. Dans la vie quotidienne, ce n'était guère plus gai : on combattait l'angoisse par le silence, la difficulté d'être par le mépris. Tu as accompli, avec l'aide de Freud, de Jung et de leurs disciples, une œuvre capitale : inculquer aux êtres humains les bienfaits de la parole, l'efficacité de l'écoute, l'évidence des théories psychanalytiques, l'importance de la psychothérapie.

Pour l'heure, tu n'es pas encore parvenu à convaincre la grande masse qu'il s'agit là d'un volet tout à fait « normal » de la médecine. Les anxieux, les dépressifs, toutes les victimes d'une vie personnelle et sociale qu'ils n'arrivent pas à assumer, préfèrent avaler des petites pilules du bonheur[1] plutôt que de se confier à de « grandes oreilles » capables de les aider à surmonter leur difficulté d'être. Loin de moi l'idée de sous-estimer l'importance de tous les médicaments psychotropes ; je reste néanmoins convaincue qu'ils soulagent les effets sans remédier aux causes profondes. L'essentiel de la vulgarisation a été réalisé ces toutes dernières années : plus personne ne prend les psy pour des charlatans, comme je l'ai entendu dire si souvent dans ma jeunesse ! À ton successeur d'en faire une thérapeutique banalisée et non plus réservée à une élite.

À l'évidence, malgré tes fantastiques victoires dans le domaine de la santé publique, la toute fin de l'histoire est restée la même. Les Anglo-Saxons aiment à dire : « La vie est une maladie sexuellement transmissible et mortelle à cent pour cent. » Heureusement ! L'immortalité ne m'a jamais tentée. Plusieurs

---

1. Les Français détiennent le record mondial de consommation, par tête d'habitant, d'antidépresseurs, somnifères et autres spécialités psycholeptiques. Notre consommation de médicaments hypnotiques est proche de 70 millions de boîtes par an. Tout porte à croire que nous ne sommes pas forcément plus malheureux que les autres, mais que nous supportons moins bien qu'eux le stress et le chagrin. Serions-nous un peuple d'enfants gâtés ?

vies ne me déplairaient pas, mais à condition de pouvoir faire un *break* entre les réincarnations et de changer radicalement de registre, de peau, de capacités, d'apparence, voire de sexe. Pour l'instant, je me contenterais volontiers d'une petite centaine d'années – chiffre probable de notre longévité dans la meilleure des hypothèses physiologiques[1]. J'apprécie les vingt ou trente ans supplémentaires que tu nous as gracieusement offerts, cher siècle, par rapport aux générations qui nous ont précédés. Ils nous permettront de diversifier nos centres d'intérêt, nos relations, nos lieux et nos modes de vie.

Depuis tes débuts, selon l'expression désormais consacrée, tu n'as pas seulement ajouté beaucoup d'années à nos vies, mais surtout beaucoup de vie à nos années.

Des vies debout, en mouvement, dans des corps parfois rafistolés de partout, mais suffisamment en état de marche pour nous permettre d'agir, de ressentir, de bouger, de prendre plaisir, de venir en aide, de communi-

---

1. Il y a eu Jeanne Calmant et ses 122 ans passés, mais il s'agit encore d'un cas exceptionnel. Pourtant, un chiffre peut donner à réfléchir : un statisticien m'a affirmé qu'au rythme actuel de progression de l'espérance de vie dans les pays occidentaux, on peut estimer que la moitié des petites filles nées en l'an 2000 seront encore en vie le 1er janvier 2100 !

quer, de pester contre les conditions de la vie moderne, tout en tirant parti des mille possibilités qu'elle met à notre disposition.

Parce que nous avons tous oublié à quel point tu nous as simplifié les gestes du quotidien...

Chapitre II

La simplification du quotidien

Pouvez-vous citer les trois faits marquants qui ont bouleversé la vie quotidienne au XXe siècle ?

Voici mon tiercé, dans l'ordre :

1 – les victoires de la santé, nous venons d'en parler, et leur corollaire : la nouvelle longévité ;

2 – la machine à laver le linge, et toutes les innovations en matière d'arts ménagers ;

3 – la contraception et la maîtrise de la fécondité.

Réponses éminemment féminines. Garçon, j'aurais certainement placé la voiture et autres moyens de transport bien avant le lave-linge. Autre classement possible au masculin : la communication et l'électronique avant la contraception ! (Là, j'avoue faire un chouïa de mauvais esprit...)

En ce qui concerne mon tiercé, ne croyez surtout pas que je me sois trompée. C'est volontairement que j'ai placé le lave-linge et autres robots domestiques **avant** la pilule. Pourquoi ? Pour une bonne et simple raison : moyennant beaucoup de précautions et de maîtrise de soi, il était envisageable, dans les siècles passés et au nôtre, avant la diffusion et la légalisation des moyens modernes de contraception, de ne pas mettre au monde une ribambelle d'enfants, ni de multiplier les fausses-couches. Ce contrôle des naissances « auto-bricolo » n'existait peut-être pas au temps des cavernes, ni même au Moyen Âge ; cependant, dès le XVIIIᵉ siècle, tout donne à penser que les femmes, en Europe, se « débrouillaient » grâce à des méthodes empiriques[1]. L'abstinence était une des plus radicales, à défaut d'être sexuellement épanouissante !

En revanche, tout être humain civilisé – occupant donc un logement ayant dépassé le

---

1. Les démographes ont toujours souligné que Françaises et Anglaises – contrairement aux femmes de pays ultra-catholiques : Irlande, Espagne, Italie, Québec, Pologne – étaient parvenues à limiter leur descendance à une moyenne de deux enfants par couple dès la fin du XVIIIᵉ siècle.

stade du taudis – est dans l'impossibilité d'assurer un minimum de confort et d'hygiène aux enfants comme aux adultes qui y vivent, sans devoir vaquer à diverses tâches ménagères de première nécessité. La plus éreintante à mes yeux : laver le linge d'un foyer de plusieurs personnes.

La séculaire corvée de lessive

De tout temps, avant l'ère du lave-linge[1], c'est-à-dire avant toi, mon siècle de la propreté à la portée de tous, cette corvée de lessive consistait à :

● nettoyer les linges souillés par les enfants, les malades et les vieillards, les vêtements souvent très sales parce que rarement lavés, les chiffons, torchons, charpies indispensables pour le ménage et la cuisine quand le Sopalin n'existait pas ;

_____

1. La machine à laver mécanique a été inventée vers 1830. En 1901, l'Américain Alva Fisher met au point le premier modèle électrique. En Europe, le lave-linge ne s'est vraiment popularisé qu'après la Seconde Guerre mondiale. En 1960, 10 % des ménages possédaient un lave-linge ; aujourd'hui, 95 % des foyers en sont équipés, soit la totalité des ménages de plusieurs personnes. Les personnes seules n'ont généralement ni le désir, ni la place d'installer une machine dont elles feraient au demeurant un usage très limité. La multiplication des laveries automatiques correspond d'ailleurs à l'augmentation de cette population de célibataires, divorcés, veufs ou veuves.

● frotter chaque pièce à la brosse, si possible à l'eau brûlante ou bouillante. Pour enlever des tâches de sauce ou de sang, le linge devait bouillir longuement ;

● rincer plusieurs fois à l'eau glacée ;

● essorer à la force des bras et des mains. L'essorage des draps et des grosses pièces devait se faire à deux. Seule, sans aide, l'opération était presque impossible ;

● porter d'un lieu à un autre des bassines ou des panières lourdes comme un âne mort[1] ;

● tenter de trouver des lieux d'étendage suffisamment vastes pour faire sécher cette quantité de linge mouillé. Dans les logements urbains – Naples et ses balcons mis à part –, cette étape du processus était souvent la plus embarrassante. Combien de bains et de douches n'avons-nous pas pris sous du linge en train de nous dégoutter sur la tête[2] ? De nos

---

1. Rien n'est plus lourd que du linge mouillé. J'ai fait l'expérience avec une paire de draps. Sèche, elle pèse environ quatre kilos ; mouillée, non essorée, plus du double ; essorée, une fois et demie son poids.
Pour faire l'expérience, je me suis servie de l'essorage d'un lave-linge. À la main, même en se mettant à deux pour tordre les grosses pièces, on ne parvenait jamais à éliminer autant d'eau, donc le linge restait beaucoup plus pesant.
2. Le sèche-linge, supposé résoudre ce problème, reste une solution onéreuse car il consomme beaucoup d'électricité. Pour l'instant, 20 % seulement des foyers en sont équipés.

jours, le linge reste présent mais, essoré par une machine, il ne goutte plus !

Ayant eu mes deux premiers enfants avant l'invention des changes complets, ou même l'apparition des services de location de couches, mes biceps gardent encore, plus de quarante ans après, le souvenir de ces énormes lessiveuses en métal qu'il fallait hisser sur le gaz, laisser longuement bouillir dans une odeur âcre qui imprégnait toute la maison, puis transporter jusqu'à la baignoire pour éliminer à grandes eaux[1] le savon ou la lessive. Les moins favorisées que moi ne disposaient pas de salle de bains, dans les années 50, elles devaient accomplir ce travail **quotidien** dans le petit évier de leur cuisine. Les accidents – mains et bras brûlés – se comptaient par milliers ; les lumbagos – dits « tours de reins » – étaient le lot commun.

Fini l'esclavage de la crasse

Toutes ces besognes incombaient aux femmes, elle y passaient des heures et des jours. En priorité : le lundi, traditionnel jour de

---

1. Les bébés, en ce temps-là, avaient souvent les fesses irritées parce qu'on ne parvenait pas à faire couler suffisamment d'eau claire pour rincer à fond leurs langes.

lessive. Souvent une seule journée ne suffisait pas. Voilà pourquoi, mon siècle, je te suis si reconnaissante de m'avoir fait naître femme et mère de famille d'aujourd'hui et non pas d'hier ! Je voudrais tant que les jeunes femmes de maintenant se rendent compte de la chance qu'elles ont de ne plus être esclaves à temps plein de la crasse et des cacas de bébés !

Je ne sais pas qui, le premier, a eu l'idée du « jetable[1] » – couches des tout-petits et des incontinents, serviettes périodiques pour les femmes, mouchoirs en papier, Kleenex, Sopalin, serviettes de table et nappes en papier, etc. Je veux l'assurer ici de la gratitude éternelle de toutes les femmes qui n'ont plus à se colleter avec les aspects les moins ragoûtants de la nature humaine. Plutôt que de multiplier les statues de généraux et d'anciens sous-secrétaires d'État au centre des squares, je suggère d'élever un monument à ce bienfaiteur de l'humanité.

Ne me faites pas le coup du joyeux lavoir, des lavandières accortes et friponnes battant le linge dans l'eau claire de la rivière en chantant

---

1. L'industrie du non-tissé a été créée à partir de 1935, et a connu une croissance fulgurante à partir de 1960, du fait du développement des fibres synthétiques. Production mondiale : plus d'un million de tonnes par an, dont la moitié aux États-Unis et un quart en Europe occidentale.

ou babillant. Laissons ces clichés aux auteurs de feuilletons télévisés en costumes d'époque, où les figurantes jouent les villageoises avec du mascara sur les cils et des mains manucurées ! Dans les faits, la lessive représentait la tâche ménagère la plus éreintante et la plus frustrante qui soit au monde. Frustrante parce qu'éternellement recommencée sans valoir la moindre gratitude de l'entourage. Trouver du linge propre, bien en place, n'étonne personne ; l'inverse suscite des réflexions acerbes[1]. Je sais que la contemplation d'une armoire fleurant bon le « propre » a longtemps été considérée comme une inépuisable source d'autosatisfaction[2]. Permettez-moi cependant d'en douter. Seules quelques « femmes d'intérieur[3] » faisant appel à des blanchisseuses aux salaires de misère pouvaient empiler ainsi

---

1. C'est également le cas du ménage qui ne se remarque que quand il est mal fait. En revanche, la cuisine est nettement plus satisfaisante pour l'ego de celle – ou celui – qui la pratique ; il est d'usage d'en faire compliment quand elle est bonne.

2. Jean-Claude Kaufmann a écrit deux livres passionnants pour tenter d'élucider cette réappropriation de l'entretien du linge par les femmes : *La Trame conjugale : analyse du couple par son linge*, et *Le Cœur à l'ouvrage*, Nathan.

3. Ne pas confondre « femme d'intérieur » et « femme au foyer ». La première est une bourgeoise qui sait « tenir sa maison », recevoir, disposer des fleurs dans les vases et surveiller les comptes, tout en bénéficiant de l'aide d'une ou plusieurs employées de maison. La seconde est une mère de famille qui n'exerce pas d'activité professionnelle rémunérée mais qui doit s'acquitter de tout le travail ménager sans percevoir de salaire.

leur précieux trousseau sans avoir les mains gercées et crevassées.

Je me souviens d'une exposition, au Grand Palais, à Paris, consacrée aux peintres danois de la fin du XIXᵉ siècle ; un tableau représentait une femme debout sur une rivière gelée : à sa droite un baquet rempli de linge mouillé, à sa gauche un trou de cinquante centimètres de diamètre découpé dans la glace pour lui permettre de rincer les tissus à l'eau courante. Ses mains étaient si douloureuses à voir, son visage si fermé... Rien qu'à la regarder, j'ai compris l'extraordinaire similitude des destins féminins, **avant** : avant les progrès des arts ménagers, l'installation de l'électricité et de l'eau courante à tous les étages, la généralisation du chauffe-eau, du lave-linge, des produits d'entretien, et de ces centaines de robots malins qui ont radicalement allégé la grosse fatigue des mères de famille[1] !

---

1. Les femmes sans enfants ne se la coulaient certes pas douce ; néanmoins, l'ampleur des tâches suivait une courbe exponentielle avec la multiplication des bouches à nourrir et des marmots à torcher. Ceci, qui était vrai hier, reste valable de nos jours.

1 litre d'eau = 1 kilo

Ce confort moderne dont tu as été, mon bon siècle, le propagateur zélé, nous paraît relever aujourd'hui de l'évidence. Auparavant, pendant des millénaires, la vie quotidienne n'était que la répétition sans fin de travaux d'une immense pénibilité. La civilisation égyptienne nous montre toujours des rois et des reines bien propres sur eux ; essayons d'imaginer l'existence des femmes du peuple : elle ne devait pas être grisante. Même Nefertiti, je n'échangerais pas ma place contre la sienne ! Je crains la grosse chaleur. L'été dans la vallée du Nil, sans la clim', sans glaçons pour boire frais, dur, dur ! Quant aux femmes romaines, pas les épouses des nobles patriciens qui se faisaient frotter le dos, aux bains, par leurs esclaves préférées, non, je pense aux plébéiennes moyennes, leurs conditions de vie domestique devaient être infernales. Ne serait-ce que parce qu'il leur fallait entretenir le feu et charrier l'eau sans laquelle la vie n'existe pas.

La corvée d'eau, quel cauchemar ! Elle obligeait à transporter à bout de bras, en veillant à ne pas en renverser, des dizaines de litres chaque jour. Des centaines de kilos par mois, puisque, depuis toujours et pour tou-

jours : 1 litre d'eau = 1 kilo. Je ne suis pas sûre
de pouvoir même imaginer l'infinie lassitude
que provoquait la nécessité quotidienne de
faire « bouillir la marmite » d'une famille. Or,
il n'y a pas si longtemps qu'il suffit d'ouvrir
un robinet pour remplir une casserole ou un
lavabo. Selon le recensement de 1954, à peine
plus de la moitié (58,4 %) des treize millions
et demi de logements français disposaient
alors de l'eau courante, un quart comportaient
des W.-C. intérieurs, un sur dix une baignoire
ou une douche. Vingt ans plus tard, en 1973,
97 % des logements ont l'eau courante, 70 %
disposent d'un W.-C. intérieur, 65 % d'une
baignoire ou d'une douche. Aujourd'hui, mon
siècle, ton marathon du confort s'achève sur
des chiffres record : il ne reste plus que 0,1 %
de logements sans eau courante, 2 % sans eau
chaude courante ; un peu plus de 3 % des logements ne disposent pas de W.-C. intérieurs, ni
de douche ou de baignoire.

Ce bond fantastique du confort, les seniors
d'aujourd'hui ne l'ont pas oublié. Dans les
sombres années 1940-1945, ils ont été privés
du minimum vital de bien-être domestique[1].

_____

1. Pour la dernière fois en Europe occidentale. Il faut non seulement l'espérer, mais tout faire pour que ça n'arrive plus jamais.
Hélas, on a retrouvé la même précarité liée à la guerre au moment
des récents conflits en Europe balkanique.

Parce qu'ils ont lutté chaque jour pour assurer leur survie individuelle, ils savent encore limiter leur consommation d'énergie, fermer un robinet qui coule, éteindre une lumière inutile, baisser une flamme trop vive. Leurs enfants, élevés dans l'abondance des Trente Glorieuses, ont bien du mal à faire leurs ces simples mesures d'économie. Pourtant, il leur faudra bien adopter des habitudes plus parcimonieuses s'ils ne veulent pas gaspiller, voire contribuer à tarir les ressources d'une Planète si généreuse... pour l'instant !

Dans un livre passionnant sur l'*Histoire des choses banales*[1], Daniel Roche compare nos besoins contemporains en eau aux consommations des siècles précédents. Ses chiffres laissent rêveurs : *Les eaux de la Ville de Paris accordent moins de 5 litres par personne vers 1700, 10 litres vers 1789... L'eau est rare, c'est un luxe dans les familles populaires... En 1946, les statisticiens calculaient les besoins de la population dans les villes de plus de 10 000 habitants : plus de 200 litres par personne et par jour*[2]. *En 1976, on dépassait 400 litres quotidiens. À la fin des années 1980, les*

---

1. Fayard, 1997.
2. Ces chiffres comprennent les usages domestiques, y compris l'arrosage des jardins, l'industrie et l'agriculture et le nettoyage public.

métropoles américaines, canadiennes, austra-
liennes, championnes de la consommation et
peut-être du gaspillage, tournent entre 1 500
et 2 000 litres ; les experts proposent pour le
XXIᵉ siècle entre 3 000 et 4 000 litres... Sau-
rons-nous arrêter ce gâchis ?

Mais laissons provisoirement de côté la
prospective pour constater que nous disposons
actuellement de suffisamment d'énergie et
d'eau pour satisfaire tous nos besoins, faire
fonctionner tous les appareils qui facilitent
tant notre train-train quotidien.

Merveilleux bidules et drôles de machines

Soit un matin de semaine ordinaire dans une
maison sans luxe particulier :

6h30 : le réveil sonne. Il n'a plus besoin
d'être remonté depuis des années. Il marche à
pile, comme toutes les machines qui donnent
l'heure. On ne s'aperçoit de leur existence que
trois fois l'an, en avril et en septembre, quand
il faut avancer ou reculer les aiguilles (à cause
de l'heure d'été puis du retour à l'heure d'hiver) et le jour où il faut changer la pile. Plus
question, comme jadis, d'invoquer une
« panne de réveil » parce qu'on oubliait de
remonter sa montre ou sa pendule ! La radio

(98,8 %[1]) a également perdu son fil ; le transistor peut accompagner son auditeur partout dans la maison. À moins qu'il ne s'en trouve déjà une dans chaque pièce : on dénombre en moyenne six radios en état de marche par foyer[2] ! Simplement, dans la salle de bains, le poste supporte mal la cohabitation avec la brosse à dents électrique (20 %), le rasoir (41 %) ou le sèche-cheveux (83 %). Les petits moteurs électriques sont comme chiens et chats : toujours serviables envers leurs maîtres, mais réfractaires à la promiscuité.

7h15[3] : petit déjeuner. Pendant la toilette, la cafetière électrique (79 %) ou la bouilloire ont fonctionné ; les breuvages attendent au chaud. Précoupé chez le boulanger, le pain ne sème plus de miettes partout. Les tartines ne demandent que quelques minutes pour sortir, rôties à point, du grille-pain (67 %). Inutile de faire bouillir le lait pasteurisé : trois petits tours dans le four à micro-ondes (52 %) suffisent à le réchauffer à bonne température,

1. Les chiffres entre parenthèses indiquent le taux d'équipement des ménages en 1996. (Source : *Quid 97*.)

2. Y compris les auto-radios, les radio-réveils, les baladeurs recevant la FM, etc. (Enquête de Radio Médiamétrie, janvier-mars 1997.)

3. Les heures peuvent varier en fonction du tempérament de chacun et du nombre de personnes devant se servir de la salle de bains ! Tous les *timings* que nous avons retenus ne sont là qu'à titre indicatif.

selon le souhait de chacun. Les enfants ne laissent plus leurs bols aux trois quarts pleins, en partant pour l'école, sous prétexte que « C'est trop chaud, je me brûle... » D'ailleurs, ceux qui n'aiment pas le lait vont piocher dans le réfrigérateur (99 %) un « dessert » lacté. On en trouve une variété infinie au supermarché ; la dose de calcium est presque la même, inutile donc de gronder : « Bois ton lait, sinon tu ne grandiras pas... » Vite, vite, avant de partir chacun de son côté et de déposer les enfants, on glisse tasses et couverts dans le lave-vaisselle[1] (42 %). Pas de ménage le matin ; un petit coup d'aspirateur (97 %) suffira, le soir, pour effacer les traces de la journée. Il sera toujours temps de faire les choses à fond en fin de semaine.

J'arrête-là ce trivial récit de vos petits matins. Cette récapitulation de vos gestes quotidiens commençait à vous ennuyer quelque peu. Tout est désormais si simple qu'on n'y prête même plus attention. Ces merveilleux bidules et ces drôles de machines inventés pour notre commodité sont si bien intégrés dans nos comportements de chaque jour que

_____

1. Le taux d'équipement des ménages en lave-vaisselle est assez faible, comparé aux autres gros appareils ménagers ; néanmoins, sa croissance est très rapide : 12 % en 1978, 22 % en 1984, 42 % en 1996.

nous serions sans doute incapables de nous débrouiller sans eux. Je sais : « Nécessité fait loi », disait ma grand-mère ; face aux grandes calamités de la vie (guerres ou cataclysmes météorologiques), les survivants retrouvent les gestes primaires de la survie.

Mais il ne s'agit pas ici d'envisager le pire. Situons-nous dans une hypothèse paisible : un petit déjeuner normal au sein d'une famille classique. J'affirme qu'en cinquante ans, le temps passé à le préparer a certainement été divisé par trois ou quatre.

La longue alchimie du café de mon père

Le café, par exemple, moulu et emballé sous vide, arrosé à température constante, tenu au chaud automatiquement : quelle facilité d'emploi ! Enfant, je me souviens d'avoir serré entre mes genoux le gros moulin carré en bois doté d'une manivelle et d'un couvercle en métal. Il fallait d'abord verser les grains dans la boîte, sans en renverser partout, ensuite on tournait laborieusement pour moudre. La poudre tombait dans un petit tiroir en bois, on la déposait dans la partie supérieure d'une cafetière en émail ou en terre cuite, sans filtre jetable. Enfin, patiemment, par petites quantités, on arrosait avec l'eau qui s'écoulait goutte-à-goutte dans la verseuse. Mon père aimait son noir bouillant, il ne le trouvait jamais assez chaud à son goût, il fallait le réchauffer sur le feu, au bain-marie, parce que tout le monde savait que « café bouillu, café foutu »...

Comment imaginer un couple actuel se livrant à pareille alchimie chaque matin avant de partir au travail[1] ? Les premiers moulins électriques (58 %) ont représenté un progrès sensationnel. Mais quel raffut ils faisaient, dès l'aurore, dans les immeubles mal insonorisés ! Ils n'ont pas duré très longtemps, une trentaine d'années au plus, vite détrônés par les boîtes et les paquets sous vide.

Désormais, les vieux moulins à café se vendent chez les brocanteurs pour décorer les étagères de cuisines « style rustique ». Certains amateurs continuent à moudre leurs précieux grains de Colombie : il paraît que c'est le comble du raffinement. Une fois de temps en temps, pourquoi n'épaterait-on pas ses convives gastronomes avec ce genre de pratiques rétro ? Il y a des jours où l'on appré-

---

1. À défaut de moulin et de cafetière électrique, on peut se simplifier la vie en buvant du café soluble. Breuvage commode et totalement de ce siècle : le premier soluble, le Nescafé, fut distribué par Nestlé, firme suisse, en 1937.

cie de vivre à l'ancienne : on sort alors les
assiettes de grand-mère qui ne supportent pas
le lave-vaisselle, les verres en cristal ancien
qu'il faut laver à la main, on remplace les serviettes en papier par les rectangles de lin
blanc, brodés et ajourés, découverts au fond
d'une malle au grenier. À cette occasion, on se
demande comment faisaient nos prédécesseurs
pour conserver et entretenir tant de merveilles
compliquées tout au long de leur existence.
J'ai la réponse : ils ne s'en servaient pour ainsi
dire jamais ! Comme nous...

« Excuse-moi, j'ai mon lait qui se sauve... »

Pour revenir à notre petit déjeuner du bon
vieux temps, parlons du lait : le lait qui mon-
tait et débordait dès qu'on avait le dos tourné.
Combien de fois, au cours d'une conversation
téléphonique entre femmes, n'entendait-on
pas : « Excuse-moi, il faut que je te quitte, j'ai
mon lait qui se sauve... » Le chameau ne se
sauvait pas bien loin, il inondait la source de
chaleur qui le faisait bouillir. On avait beau
retirer la casserole du feu, il poursuivait ses
débordements. Sur les fourneaux anciens,
puis sur les plaques électriques, l'odeur était
nauséabonde, mais sans danger. Sur le gaz, il

fallait faire vraiment attention : la flamme risquait de s'éteindre, laissant le gaz s'échapper[1]. Si l'on n'y prenait garde, bonjour l'explosion ! Sans compter les jours où le lait « tournait » ; même les riches possesseurs d'une glacière[2] ne pouvaient conserver du lait frais plus de 48 heures. Dans les campagnes, les enfants allaient « au lait » chaque jour, au sortir de l'école, avec un bidon de métal qu'il fallait décrasser à fond pour éviter les odeurs de caillé. U.H.T.[3] : dans les années 80, ces trois lettres ont tout changé à nos relations avec la boisson essentielle pour l'avenir de nos enfants (je parle toujours du lait, pas du Coca-Cola !).

Le beurre, lui, ne tournait pas, il rancissait. La plupart des jeunes adultes ne connaissent même plus l'odeur ni la saveur du beurre, de la crème, des yaourts, de tous les produits laitiers quand ils deviennent rances. Sauf, bien sûr,

---

1. Les gazinières modernes comportent un système de sécurité qui coupe l'arrivée du gaz quand la flamme s'éteint.

2. Au lendemain de la guerre, dans les années 50, les marchands de pains de glace sillonnaient encore les grandes villes pour livrer restaurants et particuliers. Les chariots des « Glacières de Paris » étaient tirés par des chevaux.

3. Ultra Haute Température : méthode qui consiste à chauffer le lait à 130°/150° et à le refroidir ensuite brutalement. Le lait est conditionné aseptiquement dans un emballage opaque préalablement stérilisé, ce qui permet de le conserver plusieurs mois, à température ambiante, sans risque de contamination.

s'ils les oublient dans le réfrigérateur en partant en vacances pour plusieurs semaines. Peu probable qu'ils les consomment au retour : un coup d'œil sur la date limite suffit à les en dissuader.

Toutes les denrées périssables de première nécessité devaient être renouvelées une à deux fois par semaine, ce qui obligeait à les acheter par petites quantités. Les ménagères passaient un temps fou à aller et venir au bras de leur panier. Avec les progrès de l'agro-alimentaire, les surgelés, les congélateurs (52 %), les conserves, la lyophilisation, la pasteurisation, il n'est plus impératif de faire son marché trop souvent. Ceux et celles qui, comme moi, apprécient la fraîcheur et la variété des marchés de plein air, des commerçants spécialisés et des produits naturels ou biologiques font leurs emplettes en petites quantités. Mais c'est par plaisir, et non plus par nécessité.

La revanche de la cuisine-plaisir

On pourrait opérer la même distinction entre les deux sortes de cuisine familiale : celle qui nourrit, deux ou trois fois par jour, pour satisfaire les besoins alimentaires de chacun, et celle qui régale de temps en temps pour flatter la gourmandise des uns et des autres. Le steak haché/purée de pommes de terre en flocons, les pizzas surgelées et les crèmes dessert appartiennent à la première catégorie ; le bœuf bourguignon, le gratin dauphinois, les quiches lorraines et les gâteaux au chocolat faits maison illustrent assez bien l'esprit de la seconde. À force de simplifier les gestes de la cuisine/nécessité, tu as bien failli, mon terrible siècle, périmer l'art de la cuisine/plaisir.

Dans les années 70, certains prédisaient la disparition des trois repas quotidiens. Selon eux, au prochain millénaire, l'humanité serait débarrassée de l'obligation de manger : quelques pilules quotidiennes, déjà expérimentées par les astronautes dans l'espace, suffiraient à fournir à l'organisme humain les calories et nutriments nécessaires à sa survie. C'était oublier le plus ancien, le plus ancré de tous les instincts humains : se nourrir pour survivre, certes, mais, si possible, en mangeant des mets agréables au goût, à la vue, à l'odorat, et en se « calant » l'estomac... Heureusement, les pilules n'ont pas supplanté la variété de nos trois repas quotidiens ; ce sont les équipages des stations orbitales qui emportent dans l'espace des rations cuisinées « comme à la maison » pour ne pas perdre complètement le plaisir de s'alimenter, satisfaction importante pour le maintien de leur équilibre psychique.

En cette fin de siècle, une véritable réaction se dessine pour redonner à la « bouffe » et à ses plaisirs simples une place de choix dans les relations familiales et sociales. Non seulement les femmes n'ont pas toutes rendu leurs tabliers de cuisinières, mais les hommes se mettent de plus en plus volontiers aux fourneaux[1]. Jamais on n'a publié autant de livres de cuisine, jamais on n'a glorifié à ce point les talents des grands chefs, jamais les produits du terroir et leurs saveurs authentiques n'ont été aussi médiatisés. La gastronomie devient un des loisirs préférés de tous : des Français et des Italiens, à l'évidence, grands gourmands devant l'Éternel depuis des siècles, mais aussi de peuples moins réputés en la matière comme les Britanniques et les Allemands. On peut désormais manger des choses délicieuses dans presque tous les pays du monde.

---

1. Malheureusement, la plupart se mettent plus volontiers « aux fourneaux » qu'« aux éviers ». Ils ont du mal à admettre que les montagnes de casseroles, passoires, jattes et autres instruments indispensables à l'exercice de leurs talents de maîtres queux n'entrent pas dans les lave-vaisselle et doivent être lavés à la main... généralement par une femme !

La grosse corvée du ravitaillement

Reste que, malgré l'indéniable simplification de la cuisine/nécessité, les grosses corvées de ravitaillement demeurent indispensables plusieurs fois par mois pour la majorité des mères qui travaillent.

Une jeune banquière me confiait récemment[1] : « Depuis que tous les enfants sont scolarisés, je ne me débrouille pas trop mal à la maison. Seul le ravitaillement pour nourrir tout ce monde est encore très pesant. Avec nos horaires de bureau, nous ne pouvons aller au supermarché que le samedi, dans la cohue. J'en reviens énervée, épuisée, souvent ruinée quand les filles nous accompagnent. Elles multiplient les achats d'impulsion – leurs impulsions, pas les nôtres ! Nous essayons de limiter ces gros marchés à deux fois par mois, mais les enfants vident le réfrigérateur au fur et à mesure que nous le remplissons. Plus nous achetons, plus ils mangent, plus ils trouvent de copains pour venir partager leurs pizzas et leurs lasagnes... »

Je précise que cette consommatrice dispose d'une voiture pour relayer son caddie et –

---

1. Style de conversation que l'on a parfois avec sa banquière, jamais avec son banquier !

comme vous l'avez sans doute remarqué à sa façon de dire « nous » – d'un gentil mari prêt à l'accompagner. Tout ce qu'ils engrangent pour nourrir leur nichée et récurer leur univers domestique ne pèse au bout de leurs quatre bras que sur quelques mètres, du coffre de la voiture aux placards et au frigo. Des roues et des roulettes les aident dans leurs expéditions de sherpas.

Poids du linge mouillé, poids des victuailles et des produits d'entretien, poids des bébés avant et après l'apprentissage de la marche, poids des ustentiles de cuisine en fonte, poids des plats à porter sur la table : tout était lourd dans l'environnement ménager de nos aïeux. Tout est devenu tellement plus léger à manipuler depuis qu'on tire et pousse sans avoir besoin de soulever !

Ode à toutes roulettes

Les premières roulettes dont je me souvienne, mises à part celles des voitures d'enfants, furent celles des poussettes servant à aller faire ses commissions. Elles ont miraculeusement délesté mon dos, soulagé mes bras et mes mains. Jusque-là, on faisait ses courses à pied, un cabas dans chaque main ; il y avait peu de voitures particulières, encore moins de femmes qui en avaient l'usage hors la présence de leur mari. Les sacs à provisions courants étaient en toile cirée noire, avec deux poignées de même matériau tenues par des œillets et des crochets de métal. Dotés d'une vaste capacité, on les remplissait toujours trop. Les retours à pied, l'ascension des escaliers dans les immeubles sans ascenseur se faisaient au ralenti, moyennant des haltes à chaque palier pour reprendre souffle. Les moins courageuses laissaient leur charge au bas de la cage d'escalier en attendant la bonne volonté d'un grand fils, d'un concierge[1] ou d'un mari revenant du travail à l'heure du déjeuner.

Quand la grande distribution[2] a voulu faciliter les déplacements des consommatrices entre les gondoles, elle a mis à leur disposition des chariots, de plus en plus vastes et maniables. Plus leur capacité est grande, plus ils incitent à la dépense. Chacun peut en faire l'expérience : quand vous entrez dans une

---

1. À l'époque, on ne les appelait pas encore « gardiens d'immeubles » ou « techniciens de surface », ils étaient souvent très serviables vis-à-vis des locataires auxquels ils rendaient mille menus services de ce genre.

2. Le commerce en libre-service est lui aussi une création du XXe siècle. Sur un modèle venu des États-Unis, le premier supermarché fut implanté en Angleterre en 1909, en France en 1927. Le premier hypermarché, un *Carrefour*, a été inauguré en 1963.

grande surface, empoignez un ou deux paniers au lieu d'utiliser le caddie habituel ; à la sortie, la somme de vos achats sera automatiquement de 20 % à 50 % inférieure à ce qu'elle est à l'accoutumée. Tous les spécialistes du marketing le savent : la commodité est source de prodigalité. Personnellement, même si la mise à disposition de tant de roulettes n'a pas que des motivations humanitaires, j'avoue profiter avec bonheur de ce qui vient soulager ma peine.

Pour vous prouver que je ne pense pas exclusivement aux tâches ménagères, je complèterai cette ode à toutes roulettes par un hymne aux bagages roulants. Les hommes en profitent au moins autant que les femmes, si ce n'est plus. Professionnellement, ils effectuent de multiples déplacements pour des courts séjours. Quais de gares, couloirs d'aéroports : ils parcourent des kilomètres en compagnie de leur « baise-en-ville[1] ». Pour se simplifier la vie et gagner du temps, ils évitent les valises encombrantes, elles aussi équipées de roulettes mais longues à enregistrer et à récupérer

---

1. « *Baise-en-ville* » : ne sous-entend aucune remarque malveillante de ma part sur les emplois du temps des hommes en voyages d'affaires. L'expression, inventée dans les années 30, désigne « une petite valise ou un sac de voyage qui peut contenir ce qu'il faut pour passer la nuit hors de chez soi » (*Petit Robert*).

quand on prend l'avion. Ils ont donc été les premiers utilisateurs enthousiastes des mallettes roulantes.

Autre bénéfice pour les mâles : les voici largement déchargés de leur rôle traditionnel de portefaix lors des déplacements en couple ou en famille. La période de pointe se situe au moment des vacances (surtout les vacances d'hiver !). Jadis, pour les privilégiés qui pouvaient mettre femme et enfants au bon air pendant les mois d'été, les départs à la campagne ou à la mer relevaient de la manœuvre de corps d'armée. Il fallait expédier les grosses malles en bagages accompagnés, ne garder avec soi qu'une ou deux valises, se faire aider par tous les hommes de la famille, utiliser des porteurs à la gare. Nos pauvres grand-mères, moins sportives que celles de la génération actuelle, n'imaginaient même pas de voyager sans faire appel à la main-d'œuvre masculine. Ce côté « faible femme » n'est plus de mise dans les transports. On trouve encore, dans les TGV ou les avions, quelques messieurs courtois prêts à aider une passagère à hisser sa petite valise dans le coffre à bagages. Mais ayons l'honnêteté de le reconnaître : même si nous profitons volontiers de la serviabilité masculine, nous sommes désormais tout à fait capables de nous débrouiller toutes seules avec notre barda roulant.

Pas de « libération » sans confort moderne

Vois-tu, mon siècle du Grand Art Ménager, je serai probablement la seule au monde à inscrire l'usage du « jetable » ou des roulettes à l'inventaire des progrès de la civilisation au XXe siècle. C'est parce que je suis persuadée que si nous, les femmes, avons eu la capacité de nous libérer, le temps et le désir de nous instruire, la volonté de participer à tous les aspects de la vie de la Cité, la possibilité d'accomplir davantage de grandes choses, c'est parce que tu nous as largement soulagées des petites. Si Cendrillon avait eu un lave-vaisselle, elle n'aurait pas fait dépendre tout son avenir de la rencontre avec le Prince Charmant.

Sans l'avènement du confort moderne, sans les machines ménagères à la portée du plus grand nombre, sans les mille et un gadgets pratiques[1] que tu as mis au point pour simplifier

1. Mentions spéciales pour : le papier « alu » et le film plastique, les presse-agrumes électriques, les mitigeurs d'eau froide et chaude, les fers à repasser à vapeur, les anti-odeurs, les nettoyants ménagers, tous les revêtements modernes dans les cuisines et les salles de bains, etc.

nos faits et gestes, les idées féministes n'auraient jamais pu entrer dans les faits. Nous n'avions pas assez de temps, jusqu'à toi, cher XXe, pour assurer la survie de l'espèce et jouer simultanément un rôle dans le devenir de la société. Les hommes avaient beau jeu de s'arroger les pouvoirs, le domaine des idées, les sphères d'action les plus intéressantes : il leur suffisait de nous laisser gérer le quotidien. Un quotidien pénible et compliqué au point que celles à qui il était dévolu n'avaient plus la force ni même le désir de mettre le nez hors de chez elles. Nous sommes ainsi faites depuis la nuit des temps : incapables de nous consacrer à d'autres tâches, si importantes soient-elles, quand les besoins élémentaires de nos petits et ceux de nos amours ne sont pas satisfaits.

Entre leurs obligations familiales et leurs contraintes professionnelles, on a beaucoup plaint les femmes du XXe siècle de devoir mener deux vies de front. N'étaient-elles pas plus pitoyables, aux temps anciens, quand elles n'en avaient qu'une, totalement envahie par les tâches domestiques ? Ne sont-elles pas dramatiquement inquiètes aujourd'hui quand une de leurs deux vies leur est ôtée par le chômage ?

Quand Simone de Beauvoir, dans *Le Deuxième Sexe*, s'est dite persuadée que les servitudes de la vie ménagère étaient responsables de l'aliénation des femmes, elle avait raison. Mais toutes ses belles théories sur le patriarcat et l'oppression des femmes ne seraient jamais parvenues à y changer quoi que ce soit si les conditions concrètes de la vie féminine n'avaient été révolutionnées grâce à toi, mon siècle. Sans cette facilitation du bien-être, les appels à la libération des femmes n'auraient abouti qu'à frustrer davantage des hordes de mères de famille, esclaves consentantes de leurs instincts nourriciers et de leur conscience « professionnelle » d'éleveuses de petits humains.

Les hommes aussi profitent des progrès

D'ailleurs, cher siècle, tes avancées technologiques dans la sphère domestique n'ont pas seulement révolutionné la condition féminine, elles ont également entraîné une mutation de la condition masculine. D'une part, la simplification des gestes a permis aux hommes de s'impliquer plus souvent dans la bonne marche de la maison ; d'autre part, elle les a rendus plus autonomes. Dorénavant, s'ils le veulent bien, ils peuvent sans complexes :

● mettre en route un lave-vaisselle, alors qu'ils répugnaient à tremper leurs mains viriles dans les eaux grasses ;

● manipuler un sac poubelle et s'en débarrasser du bout des doigts (fini les corvées d'ordures indignes de leurs personnages de « cols blancs » ou d'intellectuels aux mains propres) ;

● changer un bébé sans avoir peur de lui transpercer le ventre ou les cuisses avec une épingle de nourrice ;

● bricoler et jardiner sans compétences particulières : la diversité et l'ingéniosité des outils et engins mis à leur disposition leur procurent de réelles satisfactions quand ils font eux-mêmes au lieu d'avoir recours à un professionnel ;

● subvenir à leurs besoins alimentaires. Jadis, un homme sans femme était un homme affamé ; à moins de trouver rapidement une autre compagne, et après s'être ruiné au restaurant, puis abîmé l'estomac en ingérant sardines figées et cassoulets tiédasses, il était menacé par la malnutrition ou contraint de se mettre aux fourneaux. Les plats cuisinés, le four à micro-ondes, les surgelés, les rayons « traiteur » dans les commerces de proximité, ont « libéré » ces messieurs.

Grâce à toi, cher siècle, les hommes aussi peuvent s'offrir le luxe de se mettre en couple par amour et non par commodité et nécessité !

Reste un problème masculin non résolu sur le plan pratique : le repassage des chemises en coton. Au moment de l'avènement du Nylon[1], les fabricants affirmèrent que le repassage serait une notion obsolète dans la seconde moitié du XXe. C'était oublier que les épidermes masculins détestent le contact des fibres artificielles ; ils préfèrent transpirer dans des matières naturelles. Peu à peu, les nouvelles générations ont remplacé les chemises par des polos (plus faciles à entretenir), appris à manier le fer à repasser – surtout à vapeur –, renoncé à plier leurs chemises ; ils les ont suspendues à des cintres, attendant surtout la mise au point de modèles en coton défroissable qui pourront sortir de la machine à laver tout prêts à être portés. Des essais ont eu lieu en 1997 en France ; ils n'ont pas encore paru totalement convaincants. Mais il ne faut quand même pas faire une montagne d'une pile de

---

1. Fibre mise au point en 1941 aux États-Unis par Du Pont de Nemours. En Europe, les premières chemises en Nylon ont débarqué à la fin de la guerre dans les paquetages des officiers américains. À la même époque, les Européennes découvrirent les bas nylon, qu'elles n'ont plus jamais quittés (même sous forme de collants). À se demander si l'épiderme des dames n'est pas moins délicat que celui des messieurs...

chemises à repasser. S'il ne restait que ce problème pratique à régler, la vie serait facile ! Mais il y en a d'autres, beaucoup plus pénibles à gérer...

La multiplication des démarches et papiers

Au fond, cher siècle, je te suis redevable de tant d'avancées positives dans le « management » du quotidien que j'en oublierais presque de te reprocher les formidables complications administratives nées elles aussi du progrès moderne. À notre époque d'« immatriculation » et d'« encartages » en tous genres, les démarches et les formalités se sont multipliées et complexifiées, depuis quelques années, jusqu'à atteindre des sommets. Ce que nous avons économisé en fatigue physique, nous risquons de le reperdre en casse-tête et en stress !

Pour régulariser leur état civil, leur situation fiscale, leur intégration dans les circuits économiques, leurs relations avec les banques et les organismes de crédit, assumer leurs charges de propriétaires ou de locataires, correspondre avec les écoles-les fournisseurs-les assureurs-les divers organismes sociaux, les citoyens des pays développés perdent un temps fou. Parfois, je me demande si je ne passe pas autant d'heures à remplir, expédier ou classer mes paperasses que ma grand-mère à agiter ses casseroles ! Ici, en France, nous battons certainement le record des lourdeurs et des tracasseries administratives en tous genres ; il est vrai que nous détenons également le record européen du nombre de fonctionnaires, et on ne me fera pas croire que ceci n'explique pas en grande partie cela...

Chaque foyer gère désormais un véritable secrétariat privé : il faut tenir à jour les dossiers, assurer leur suivi, respecter les délais, calculer les échéances, prévoir les fins de validité, conserver à vie les traces écrites, etc. Je me souviens d'avoir pleuré – de vraies larmes ! –, tant j'étais horripilée et découragée au moment de l'établissement de mon dossier de retraite. Deux ans durant, pour « reconstituer ma carrière », j'ai multiplié les courriers, réitéré les demandes, envoyé des photocopies tous azimuts, attendu des réponses, accumulé des recommandés, guetté le facteur, tout cela pour prouver que j'avais bien été moi à chaque étape de ma vie professionnelle.

Toutes les fois que je me débats ainsi avec des formalités administratives, je songe aux immigrés ou aux personnes âgées confrontés à ce genre de procédures tatillonnes. Avec un

diplôme de l'enseignement supérieur, un ordinateur, un fax, un Minitel et une boutique de
photocopie à deux pas, je n'arrive pas toujours
à faire face ; comment voulez-vous que les
moins favorisés s'en sortent ? Personne,
jamais, ne leur a appris le langage des fonctionnaires. Et encore : un rond-de-cuir n'étant
qu'un moindre mal, on peut lui adresser la
parole, tenter de s'expliquer, l'attendrir éventuellement par sa bonne foi, tandis qu'un ordinateur ne fait aucune concession, jamais,
même quand il est parfaitement dans son tort.
Essayez de lui expliquer que vous êtes une
femme vivante quand il a décrété que vous
étiez un homme mort : il vous faudra des mois,
voire des années pour lui faire rendre gorge !

Jadis, dans les écoles, les filles suivaient des
cours de couture, on leur apprenait à repriser
les chaussettes, à ravauder le linge pour le
faire durer plus longtemps, à broder des
chiffres sur les nappes de leur trousseau, toutes
activités désormais superflues. Il faudrait remplacer ces enseignements pratiques par des
cours d'instruction administrative et financière. Obligatoires aussi bien pour les filles
que pour les garçons. Quel que soit son avenir
professionnel, tout enfant devrait désormais se
familiariser avec l'informatique à domicile.
Un jour viendra forcément où le poids que fait

peser la bureaucratie sur les particuliers sera allégé par des branchements domestiques sur les grands réseaux modernes de communication. On devrait y préparer dès maintenant les nouvelles générations.

Tu me rétorqueras, mon vieux siècle[1], que ce n'est plus à toi qu'il faut faire ce genre de suggestion. Il ne te reste qu'une brassée de semaines à courir ; le prochain se chargera d'imposer la cybernétique dans les écoles et de faciliter la vie quotidienne des « administrés » comme tu as su simplifier celle des « ménagères[2] ». Alors, vivement qu'il vienne : nous n'en pouvons plus de « manger du papier » !

Tu ne m'en voudras pas, j'espère, de cette diatribe anti-paperasse. Je t'ai fait tant de compliments, jusqu'à présent, que je pouvais me permettre, en codicille, ces quelques griefs. Ne prends pas un air vexé, ne me fais pas la tête. D'autant moins, mon siècle, que nous allons maintenant aborder un sujet bien plus important : je voudrais parler tendresse et tolérance...

---

1. Ne t'offusque pas quand je te traite de « vieux » : bientôt centenaire, tu ne peux quand même pas te considérer comme de la première jeunesse !
2. Je déteste ce mot « ménagère », galvaudé par le marketing et méprisé par les « cerveaux ». Mais je n'en connais pas de vraiment satisfaisant pour désigner les responsables de la bonne marche de la vie quotidienne d'un foyer.

Chapitre III

La libéralisation
des relations humaines

Comment désigne-t-on, dans une conversation, le père de son petit-fils, ou la mère de sa petite-fille quand les parents du bébé n'ont pas pris la peine de régulariser, civilement ou religieusement, leur union avant de mettre au monde cette merveille[1] ? Cette question, 40 % des grands-parents français se la posent chaque année, puisque quatre sur dix des nouveau-nés sont conçus hors mariage[2]. La proportion est

---

1. Réponse : tout simplement *le père de ma petite-fille* ou *la mère de mon petit-fils*. Éviter *fiancé (ée)* (un peu désuet), *futur mari de ma fille* ou *future femme de mon fils* (rien de moins évident), *compagnon* et *compagne* (qui passe sous silence leur parentalité commune), *gendre* ou *belle-fille* (qui ne trompe personne)

2. *INED*, 1996. Le nombre des naissances hors mariage est légèrement inférieur aux États-Unis (un peu plus de 30 %) et nettement plus élevé dans les pays du nord de l'Europe (plus de 50 % en Suède, près de 60 % en Islande.)

encore plus considérable pour les premiers-nés : la majorité (près de 55 %) naissent « naturels ». Le président de la République et son épouse inscrivent donc leur « illégitime » grand-parentalité dans la moyenne nationale ; leur petit-fils ne se sentira pas original quand il ira à la maternelle : la majorité de ses copains seront, comme lui, reconnus par Papa qui vit avec Maman mais qui n'est pas son mari. Pas encore, ou pas depuis longtemps, ou peut-être jamais. Désormais, en effet, l'acte fondateur de la majorité des couples jeunes est la naissance d'un enfant avec ou sans union légale et religieuse.

Quand le mariage était la norme

Pour prendre la mesure de cette révolution des mœurs, il faut se rappeler que, dans les années 70, seulement 6 % des bébés naissaient hors mariage. Certes, tous n'attendaient pas neuf mois après les épousailles de leurs parents pour voir le jour ; sous la pression de l'entourage familial, les « trop tôt faits » – comme on les appelait dans les campagnes – accédaient presque toujours au rang de « superbes prématurés ». Parents et grands-parents militaient pour que l'union féconde soit légitimée et bénie ; dans l'immense majorité des cas, ils obtenaient gain de cause. La mariée arborait un ventre un peu rondelet sous sa couronne de fleurs d'oranger, mais les convenances étaient sauves.

Quand les noces se révélaient impossibles – délit de fuite du responsable de l'« accident », refus d'assumer ses responsabilités, bigamie... –, la pauvre « fille-mère » se voyait souvent chassée du toit familial, ses parents craignant d'être socialement déshonorés par sa « faute ». Abandonnée, sans ressources, mise au ban de la société, elle acceptait d'épouser n'importe qui ou de travailler comme n'importe quoi pour ne pas sombrer dans la misère et la honte.

Quand la vague de dénuptialité et de naissances hors mariage a commencé, dans les années 70, personne ne pouvait envisager qu'elle en viendrait à prendre une telle ampleur. On imaginait volontiers quelques jeunes intellectuels ou quelques babas cool tentés par l'union libre ; nul ne pronostiqua la désaffection de toute une demi-génération pour le plus vieux des rites humains. De l'Ancien Testament au Mahabharata, depuis que les sociétés se sont constituées, les accordailles entre hommes et femmes ont tissé la trame de l'Histoire, déterminé les rapports de pouvoir, suscité des alliances, provoqué des guerres, contribué à édifier des empires, etc. Les enfants étaient « issus » du mariage ; ceux qui ne l'étaient pas subissaient l'opprobre. Polygamie, divorce, répudiation, multiplication des unions ne changeaient rien à l'affaire : le mariage était la « norme » à partir de laquelle se déterminait le statut social des parents et la condition de leurs enfants.

Si les tendances actuelles se confirment, les démographes ont calculé que, parmi les générations nées après 1970, la moitié des jeunes femmes finiront leur vie sans avoir jamais été mariées ; ce qui ne veut pas dire qu'elles n'auront pas eu d'enfants ni de compagnons : simplement, elles n'auront pas éprouvé l'envie ou pas fait l'effort de « régulariser » leur statut familial. Célibataire ne sera plus synonyme de solitaire.

Que les difficultés de l'insertion dans une société qui leur offre si peu de chances dissuadent beaucoup de jeunes de se marier, paraît assez logique. Mais que les générations d'au-dessus, qui se sont toutes passé la bague au doigt – neuf sur dix des plus de cinquante ans qui vivent en couple sont mariés –, fassent preuve d'assez d'ouverture d'esprit et d'amour pour accueillir à bras ouverts tous les couples « illégitimes », les pères « naturels », les mères « célibataires » de leur cercle fami-

lial, voilà qui marque un très réel élargisse-
ment dans les relations humaines.

J'y vois, cher siècle, une de tes victoires
incontestées : celle de la tolérance sur le
conformisme, du compromis sur la rigueur, de
l'affectif sur le légitime. Les sombres histoires
de filles-mères rejetées et de fils-pères déshonorés, les terribles souffrances des « enfants
de l'ombre » sacrifiés sur l'autel de la bienséance, les angoisses et les complexes des
« vieilles filles » marginalisées, appartiennent
désormais à la légende des siècles (même des
demi-siècles : en tout cas, jusqu'au milieu du
XXᵉ compris !)

Une pensée attendrie pour les « Catheri-
nettes » de ma jeunesse... Dans les ateliers de
couture, les bureaux employant des femmes,
chez les modistes et les blanchisseuses, on
célébrait, le 25 novembre, cette fête des « filles
à marier ». Une Catherinette devait avoir
soufflé ses vingt-cinq bougies dans l'année et
n'être encore ni mariée ni même fiancée. Les
héroïnes de la fête portaient des chapeaux
jaune et vert : vert, symbole de l'espérance ;
jaune, de l'infidélité en amour. Petite fille,
j'admirais ces échafaudages de rubans et de
papier crêpon, mais je plaignais profondément
ces pauvres « laissées-pour-compte » de la
loterie du mariage. Elles aussi faisaient

souvent contre mauvaise fortune bonne figure, hantées par la perspective de rester en rade alors que presque toutes leurs collègues avaient déjà la bague au doigt, seul viatique permettant à une jeune fille d'entrer dans la normalité, celle des femmes mariées.

Les filles de maintenant se réjouissent plutôt d'être libres à vingt-cinq ans. Elle ne commencent à s'inquiéter de leur célibat – ou plus exactement de leur infécondité – que dix ans plus tard. Parfois même, trop tard à mon gré... et au gré des gynécologues qu'elles vont consulter, parce que la fertilité subit une baisse inévitable, passé la trentaine ; mais c'est là une autre histoire...

Quand le silence tuait les cœurs

À tes débuts, mon cher siècle, quand tu étais encore tout emberlificoté dans les rigidités victoriennes de ton prédécesseur, ce conformisme, cette bienséance ont causé bien des ravages dans les relations conjugales, familiales et sociales. Les silences chargés de rancœurs tuaient les cœurs en silence. La bourgeoisie décrite par François Mauriac battait des records en matière de conservatisme, d'arrière-pensées et de non-dits. Héritière des principes de l'ordre moral du XIXe siècle, qu'elle n'a abandonnés que très récemment[1], elle sacrifiait les individus à leurs rôles et ignorait leurs difficultés pour ne s'en tenir qu'à leurs obligations. L'extrait suivant du *Mystère Frontenac* illustre cet étouffement :

Il ne pensait jamais à sa belle-sœur comme à une jeune femme solitaire, capable d'éprouver de la tristesse, du désespoir. Sa destinée ne l'intéressait en rien. Pourvu qu'elle ne se remariât pas et qu'elle élevât les enfants de Michel [Frontenac], il ne se posait guère de questions à son sujet. Voilà ce que Blanche ne lui pardonnait pas. Non qu'elle ressentît aucun regret : à peine veuve, elle avait mesuré son sacrifice et l'avait accepté ; rien ne l'eût fait revenir sur sa résolution. Mais, très pieuse, d'une piété un peu minutieuse et aride, elle n'avait jamais cru que, sans Dieu, elle aurait trouvé la force de vivre ainsi ; car c'était une jeune femme ardente, un cœur brûlant. Ce soir-là, si Xavier avait eu des yeux pour voir, il aurait pris en pitié [...] cette mère tragique, ces yeux de jais, cette figure bilieuse, ravinée, où des restes de beauté résistaient encore à l'amaigrissement et aux rides... Tout

---

1. D'aucuns disent même qu'elle n'en est pas encore tout à fait débarrassée...

son être trahissait la fatigue, l'épuisement de la mère que ses petits dévorent vivante.

Pour ne pas être ainsi exclues du champ de la vie parce que leurs époux étaient morts au champ d'honneur, certaines veuves de la Grande Guerre durent batailler fort. Encore avaient-elles droit à la considération de la Patrie reconnaissante. Le fardeau fut encore plus lourd à porter pour ma pauvre grand-mère, victime crucifiée, silencieuse et isolée, sans même la compensation d'une gloire indirecte par défunt époux interposé. Son superbe coquin de mari était parti au front comme chirurgien dans les services de Santé de l'Armée. Il n'en revint jamais. Non, non, pas de condoléances hâtives ! Contrairement aux millions d'hommes de sa génération qui trouvèrent la mort au cours du carnage, Grand-Père en réchappa, la poitrine constellée de médailles. Cependant, une fois l'armistice signé, il ne reprit pas le chemin du domicile conjugal, mais suivit le voile d'une jolie infirmière, abandonnant sans remords ni arrière-pensées femme et enfants. J'écris « sans arrière-pensées » sans rien savoir au juste de ses sentiments. Peut-être le pauvre homme a-t-il terriblement culpabilisé après cette rupture ? Peut-être ses filles lui ont-elles manqué à jamais, et surtout Maman qui lui vouait une admiration passionnée ? Je ne saurai jamais la vérité. Vingt et quelques années plus tard, quand nous l'avons rencontré, sur l'insistance de mon père, grand défenseur des liens familiaux quels qu'eussent été les comportements de uns et des autres, Grand-Père ne fit jamais allusion au passé. Les hommes de sa génération n'avaient pas pour habitude de se déboutonner. Même en famille... surtout en famille !

Abandonnée et sans ressources, ma grand-mère, pour obtenir une pension alimentaire qui demeura à jamais impayée, se vit obligée de demander le divorce, prononcé bien évidemment aux torts exclusifs du fripon. Là commença le calvaire de la pauvre femme et de ses filles. Sa propre famille, catholique et bien-pensante, la mit à l'écart ; chez ces gens-là, on ne fréquentait pas les divorcées. À leurs yeux – aux siens aussi, sans doute ! –, il aurait tellement mieux valu qu'elle fût veuve, comme la moitié des dames de sa génération ! Elle aurait, selon une expression courante dans ma jeunesse, « fait preuve d'une merveilleuse dignité dans le malheur... »

Quant aux filles, elles furent forcées de rompre tous liens avec le coupable : un père divorcé n'avait pas le droit d'aimer ses enfants ! Ma mère et sa sœur, alors adolescentes, ont gardé toute leur vie la blessure de cet abandon. Aujourd'hui, on se battrait plutôt pour préserver à tout prix un lien entre les enfants et leur père séparé !

La solidarité se développe

Il n'y a pas si longtemps que les divorcés peuvent garder la tête haute après la désintégration de leur couple – et de leur vie quotidienne par la même occasion. On assiste même, en ce qui les concerne, à un renversement complet des comportements. Désormais, au lieu de les rejeter hors du cercle, les membres de leur entourage leur tendent la main. Pour sauvegarder au mieux l'équilibre des enfants en cas de désaccord grave, les grands-parents servent d'agents de liaison entre les parents aux premiers temps de leur séparation. Les copains multiplient les « coucous » téléphoniques, déplient le canapé-lit pour accueillir le solitaire récent. Les collègues de bureau proposent une petite « bouffe » les soirs de cafard. Tous les moyens sont bons pour fournir, au fil des jours brisés, des occasions de se normaliser.

Jadis, les familles se faisaient un devoir d'aider les jeunes ménages au moment de leur formation ; trousseaux, cadeaux, dots, coups de main pour l'installation du logement, toute l'entraide se concentrait à leur départ dans la vie commune. On pouvait faire preuve de générosité, puisqu'on leur mettait le pied à l'étrier une bonne fois pour toutes. De par la quasi indissolubilité du mariage[1], l'aide aux jeunes mariés était un placement unique et définitif. Maintenant que les péripéties se multiplient dans les vies de couple, que ce soit parmi les jeunes ou les moins jeunes, la solidarité de « voisinage », affective et matérielle, ne cesse de se développer. Ceux qui peuvent aider financièrement ouvrent leur porte-monnaie, les autres ouvrent leurs oreilles pour laisser s'épancher les cœurs blessés. Ce bénévolat affectif occupe une place essentielle dans

---

1. Mis à part les quelques années où il fut autorisé, de la Révolution française jusqu'à la promulgation du Code Napoléon (1792-1816), le divorce ne date en France que de la loi Naquet en 1884. En fait, c'est au cours du XXe siècle qu'il fut peu à peu libéralisé. 1904 : en cas d'adultère, celui des conjoints déclaré coupable peut ensuite épouser son/sa « complice ». 1908 : le divorce peut être prononcé après trois ans de séparation de corps. Mais la grande libéralisation date de 1975 : l'adultère n'est plus un délit, il n'est plus nécessaire d'accuser son conjoint de « fautes » pour s'en séparer. Le divorce par consentement mutuel laisse les conjoints régler les conditions de leur séparation. On se dirige actuellement vers la possibilité d'un divorce civil et non plus judiciaire. Ces séparations par consentement mutuel se régleraient non plus au tribunal, mais à la mairie, comme les mariages.

les emplois du temps de la génération-pilier[1].Une blessée récente constate :

« Nous ne sommes certes pas la première génération à affronter des situations conjugales désastreuses. Pourtant, tout a changé dans la façon de les surmonter. Ma mère m'a raconté qu'elle a mis des mois avant d'oser annoncer à ses parents qu'elle allait se séparer de son mari, et des années avant de leur faire comprendre qu'elle avait un nouveau monsieur dans sa vie. Ses amis étaient bien mieux informés que sa famille sur ce qu'elle vivait d'important. Pour moi, ç'a été l'inverse : la première personne auprès de laquelle je suis allée chercher réconfort et assistance a été ma mère. Elle s'est chargée de mettre mon beau-père au parfum. Ils ont tenté de m'aider sans me juger, même si, dans leur for intérieur, ils regrettaient de ne pas me voir mener une vie plus "classique". Je crois que tous les parents, quelles que soient leurs péripéties personnelles, rêvent d'un bonheur tranquille pour leurs enfants... Le mythe du mariage "jusqu'à

_____

1. Génération-pivot ou génération-pilier : les sociologues appellent ainsi les 50/70 ans, contraints de prendre en charge les problèmes de leurs très vieux parents, ceux de leurs enfants – jeunes adultes confrontés aux difficultés d'insertion dans la vie active et aux péripéties de leur vie affective –, et les besoins de leurs petits-enfants, grands envahisseurs d'emploi du temps.

ce que la mort nous sépare" a la vie plus dure que le mariage lui-même ! »

Plus de cent vingt mille divorces ont été prononcés l'an dernier, soit deux cent quarante mille occasions de faire appel à l'entourage. Sans compter les séparations de concubins, aussi douloureuses et encore plus inextricables financièrement et matériellement parlant, en l'absence de tout règlement d'ordre juridique.

Petits drames des amours passagères dont on s'aperçoit d'emblée qu'elles ne seront pas faites pour durer et dont une copine compatissante aide à cicatriser la blessure à coups de téléphone et de cinéma. Grands tourments des familles déchirées par la mésentente, les scènes, la brutalité, et dont les acteurs mettent parfois plusieurs années avant de recouvrer le goût de vivre... Au lieu de les mettre à son ban, la société organise toutes sortes de structures pour accueillir leur désarroi, aplanir leurs difficultés, rafistoler leurs conditions de vie ébranlées par des drames personnels. Foyers d'accueil pour les mères célibataires, refuges pour les femmes battues, lieux de rencontre pour les familles éclatées, qui permettent de ne pas rompre totalement les liens entre parents et enfants : plus les situations sont dramatiques, plus les initiatives se multiplient.

Pourtant, l'essentiel de l'aide provient encore des familles, appelées au secours dès qu'un orage se prépare, et qui se montrent de plus en plus solidaires et généreuses. Une étude du Credoc sur les transmissions de patrimoine entre les générations a montré que les dons des plus de cinquante ans représentent 7 % des revenus des moins de quarante ans. Désormais, l'immense majorité de nos contemporains aident sans juger. Laxisme explicable : s'il fallait exclure tous les « hors normes » de son environnement affectif, les risques seraient grands de devoir finir sa vie dans une solitude absolue !

Certaines personnes âgées sont victimes de ces ostracismes autoproclamés. De même que les enfants battus se transforment plus tard en parents bourreaux, elles reproduisent vis-à-vis de leurs proches des modèles d'intolérance dont elles ont souffert dans leur propre jeunesse. Enfermées dans leur détresse inconsciente, elles n'ont pas vu la société évoluer autour d'elles, restent campées sur leurs certitudes d'une autre époque, incapables de comprendre qu'on puisse leur reprocher de vouloir redresser les torts sans jamais se remettre elles-mêmes en question. Le bon droit fait rarement bon ménage avec le plaisir de se fréquenter. Plus on avance en âge, plus on devrait relativiser ses certitudes de jeunesse, et moins il faudrait se donner en exemple. C'est malheureusement souvent l'inverse qui tend à se produire. Les proches s'éloignent alors pour respirer. Les générations actuelles supportent mal qu'on leur « pompe l'air » !

Chacun peut choisir sa façon d'aimer

Dans presque tout le monde occidental, les militants de l'intransigeance disparaissent peu à peu du paysage sociétal. Il reste encore quelques spécimens capables de « pourrir » la vie de leur entourage familial par leur rigorisme, mais ils ne constituent plus qu'une petite minorité. Ce que nos aïeux considéraient comme des dogmes inviolables – la virginité des jeunes filles, le péché de chair, l'indissolubilité du mariage, le crime d'adultère, etc. – s'inscrit désormais dans les choix personnels de chacun. Quand on n'est pas d'accord, on le dit, parfois avec des mots soigneusement triés pour ne pas heurter ; plus souvent encore on se tait. Non par lâcheté, mais par respect de la liberté individuelle.

On reste abasourdi à mesurer l'évolution des mentalités intervenue en l'espace d'un siècle. Imagine-t-on la reine Victoria recevant dans ses palais sa collection d'enfants infidèles et divorcés pour fêter ses noces d'or ? Un prince régnant, fût-ce d'une minuscule principauté, aurait-il supporté de voir ses deux filles photographiées aux quatre coins de la planète en compagnie de leurs galants divers et variés, dans des poses et dans des tenues tout aussi variées et diverses ? Les plus hardis futurologues ne se seraient jamais risqués à envisager la présence, dans les gouvernements européens, de femmes ministres, mères sans complexes d'enfants nés « hors mariage[1] ». Quel honorable membre de la Chambre des lords aurait pronostiqué qu'avant ta fin, mon siècle, un ministre britannique[2] reconnaîtrait publiquement son homosexualité sans honte ni reproches ?

Dans les pays à forte tradition catholique, comme l'Italie ou l'Irlande, parmi les classes sociales les plus conservatrices, les arrière-pensées ne sont pas encore tout à fait balayées. Pourtant, quels désastres provoquaient naguère cette pseudo-« respectabilité » ! Elle ajoutait

---

1. C'est le cas en France de Ségolène Royal, Dominique Voynet ou Frédérique Bredin qui ne se sont jamais cachées ni d'ailleurs vantées de cette situation.

2. Angelica Eagle, sous-secrétaire d'État à l'Environnement dans le gouvernement de Tony Blair, se déclare ouvertement lesbienne.

la culpabilité à l'échec, la tristesse de se sentir rejeté par sa famille verticale au chagrin inévitable dès lors qu'un enfant va naître sans qu'un couple ait réussi à se former pour l'accueillir, qu'un amour se désintègre ou qu'une famille se défasse.

Le fanatisme massacre la vie quotidienne

Hélas, nous avons encore, à l'orée du troisième millénaire, des exemples quotidiens, parfois terrifiants, des conséquences désastreuses qu'engendre le fanatisme sur la qualité de vie des individus. Il suffit de voir ce qui se produit dans certains pays islamiques. Les événements d'Afghanistan dépassent en barbarie les pires délires de l'Inquisition. La façon dont les talibans traitent les femmes n'a plus rien à voir avec une quelconque civilisation. Elles n'ont plus le droit d'exister en tant qu'êtres humains à part entière, plus le droit de sortir, plus le droit d'apprendre, ni celui de gagner leur vie. La folie masculine leur a même retiré le droit de se soigner, puisqu'on les a chassées des hôpitaux où des hommes risquaient d'être pervertis par leur seule présence !

Ce qui prouve qu'il convient de rester sur le qui-vive. À tout moment, un retour du fanatisme peut annihiler les avancées de la liberté individuelle et du respect d'autrui. Hitler nous a prouvé, il n'y a pas si longtemps, que le pire n'est jamais exclu ! Je me souviens d'une lettre bouleversante reçue au moment de la Révolution iranienne ; elle émanait d'une femme médecin : « J'étais une femme heureuse. J'avais fait des études passionnantes. J'exerçais une profession qui me plaisait. Je vivais en paix avec mes enfants et mon mari, citoyenne d'un pays en marche. La nuit est retombée sur moi. Je n'ai plus le droit de sortir dans la rue sans me cacher. Priez pour nous, femmes d'Iran, nous entrons vivantes dans la tombe ! »

L'Afghanistan et l'Iran ne sont géographiquement pas si loin, les interdits qu'ils imposent dans la vie quotidienne trouveraient assez facilement un écho de l'autre côté de la Méditerranée. Pourvu, mon siècle, que ces quelques années de compréhension et de tolérance mutuelles que tu nous as permis de vivre ne restent pas une parenthèse d'exception dans la légende des siècles ! J'ai personnellement milité pour lever bien des interdits, débloquer des situations douloureuses, faciliter l'accomplissement affectif de chacun, humaniser les relations ; les progrès accomplis sont évidents. Il n'empêche : comme toutes les avancées liées à la bonne volonté de tous, le reflux demeure toujours menaçant. Je ne voudrais pas que ma génération puisse se vanter d'être la seule à avoir profité d'un moment aussi rare que bref où les individus auraient été reconnus en tant que personnes libres de choisir leurs manières d'être heureuses... ou malheureuses.

Les brouilles durent moins longtemps

Jadis, les bien-pensants soufflaient sur les braises des cœurs ou des amours-propres à vif. On tranchait sans nuances dans les relations affectives : « Je ne lui pardonnerai jamais... », « Nous sommes fâchés pour toujours.. », « Je ne veux plus entendre parler d'elle... », « Il a commis l'irréparable... » Toutes ces condamnations exécutaient sans pitié les sentiments comme on coupait la tête des condamnés à la guillotine. On reniait des enfants, on rayait à jamais des frères et sœurs pourtant adorés dans son jeune âge, on ne revoyait ses parents que sur leur lit de mort... Toutes ces brouilles inexpiables, bien souvent inexplicables pour ceux qui n'en avaient pas vécu l'origine, entretenaient un climat de douloureux mystère dans les rapports familiaux. Parfois, les fâcheries se transmettaient de génération en génération comme un élément immatériel du patrimoine...

Aujourd'hui, on se dispute sans doute toujours autant, mais on reste fâchés moins longtemps. La plupart des certitudes de nos grands-parents nous semblent irréalistes et même néfastes. N'étant plus sûrs d'avoir immuablement raison, nous ne pouvons plus être aussi certains que les autres ont tort. Nos relations avec eux s'en trouvent dédramatisées.

La modification des rapports entre belles-mères et belles-filles illustrent ces nouveaux comportements. La Bruyère affirmait au XVIIIe siècle : *Une belle-mère n'aime point sa bru...* Ce conflit, vieux comme le monde, ne semble plus revêtir la même acuité. Quand elles évoquent leurs relations, les unes et les autres constatent avec étonnement : « Nous avons des rapports sympathiques. Tout à fait "normaux". Pas du tout comme autrefois. Le schéma classique, fait d'arrière-pensées et de compétition, paraît en quelque sorte suranné. Quand nous ne sommes pas d'accord, nous nous expliquons. Il nous arrive de laisser nos liens se distendre pendant quelques semaines, voire quelques mois... Et puis, à l'occasion d'une fête, d'un anniversaire, d'une bonne nouvelle concernant les enfants, un coup de fil et ça repart pour une nouvelle période sans rancune... »

De telles confidences m'ont été faites des dizaines de fois par des femmes rencontrées au hasard de mes déplacements en tant que spécialiste de la vie familiale. Pourquoi cette volonté systématique de « positiver » des relations jadis si souvent conflictuelles ? Quelle signification attribuer à ces affirmations d'un optimisme délibéré ?

La précarité rend plus attentif

J'en suis arrivée à la conclusion que la diversité des situations et la vulnérabilité des liens modifient les mentalités, modèrent les comportements. Rien n'étant plus acquis ni définitif, chacun doit y mettre du sien pour que les rapports s'instaurent dans la durée. Une mère insupportée par l'amour inexplicable d'un de ses fils[1] se montre plus conciliante de nos jours ; elle ne peut s'empêcher de penser que la situation n'est peut-être pas irrémé-

---

1. Aux yeux de toutes les mères du monde (pas seulement dans le cas des mammas juives ou italiennes), leur cher garçon n'est-il pas toujours infiniment mieux que la compagne qu'il s'est choisie ?

diable. Elle ne voudrait pas être responsable d'une rupture, si jamais ses vœux les plus secrets étaient exaucés. Une compagne exaspérée par une « belle-maman[1] » par trop envahissante s'efforce de la tenir aimablement à distance sans poser d'ultimatum. Elle ne voudrait pas créer un conflit préjudiciable à sa propre situation, elle-même aléatoire.

Vivant tous dans une certaine précarité relationnelle, nous faisons très attention aux conséquences de nos emportements ou de nos refus. La plupart des adultes mettent ainsi la pédale douce pour ne pas créer d'incidents graves sur des parcours familiaux de plus en plus contrastés et chahutés. Autre preuve de ces compromis : la gestion des « ex ». Après une période de rupture, une majorité de parents séparés s'efforcent de préserver certains liens, de conserver des relations correctes, voire affectueuses, au gré d'un nombre croissant d'équations nouvelles. Une sorte de cousinage à la mode de Bretagne unit entre eux ex-amours et ex-familles. On ne partage pas impunément plusieurs années de sa vie ; il

---

1. Encore une situation qui n'a pas de nom. Comment appelle-t-on la mère de son compagnon ? Réponse : par son prénom, quand tout va bien. D'ailleurs, si tout ne « baigne » pas, on ne l'appelle pas ; on évite de la fréquenter.

faut vraiment des événements très graves pour effacer totalement les souvenirs communs.

Les enfants et les jeunes se montrent beaucoup moins diplomates et circonspects. Quand une situation leur déplaît, qu'ils refusent par exemple l'autorité d'un adulte dont ils doivent partager le quotidien, ils peuvent faire preuve de génie pour empoisonner l'atmosphère. Un « ado » buté peut littéralement décomposer toute une famille... recomposée ! Les filles manient encore plus efficacement que les garçons l'art des silences hostiles, des scènes sanglotantes, des anorexies caractérielles, des fugues culpabilisantes. Les pauvres « belles-mères » – celles que l'on appelait jadis les marâtres[1] – servent souvent de cibles à leurs révoltes adolescentes.

---

1. *Marâtre* : femme du père par rapport aux enfants qu'il a eus d'un premier mariage. Les rapports entre les marâtres et les beaux-enfants ont été si souvent conflictuels, au cours des siècles, que le mot « marâtre » est devenu synonyme de mauvaise mère. On l'a donc remplacé par le terme de « belle-mère », impropre mais chargé d'une connotation moins négative. Il ne faut pas oublier que les marâtres étaient très nombreuses avant le XXᵉ siècle : beaucoup de femmes mouraient en couches, les hommes se remariaient très vite pour ne pas avoir à élever seuls leurs enfants. Aux XVIIᵉ et XVIIIᵉ siècles, un mariage sur quatre au moins était un remariage ; un enfant sur deux risquait donc de passer à un moment ou à un autre sous la tutelle d'un beau-père ou d'une belle-mère. (Chiffres cités dans *L'Histoire de la famille*, éd. Armand Colin)

Parviendra-t-on, au cours des prochains siècles, à faire admettre aux enfants que l'amour parental et l'amour conjugal des adultes peuvent être dissociés ? Seront-ils capables de concessions ou garderont-ils l'intransigeance de la jeunesse ? Aimeront-ils suffisamment leurs parents pour leur donner une chance de reconstruire leur vie de couple au lieu de saper délibérément toute nouvelle tentative de leur part ? Mon pronostic n'est guère optimiste. Pour obtenir ces progrès-là, il faudrait que les enfants viennent au monde déjà adultes. La tolérance est une vertu d'expérience, elle n'est pas innée, mais acquise ; son acceptation requiert un véritable effort pour se débarrasser de tous les mauvais instincts que les grandes personnes elles-mêmes ne parviennent pas toutes à surmonter. Heureusement, les enfants finissent toujours par prendre de l'âge ; un jour, ils se trouvent confrontés à leur tour aux péripéties de leurs attachements. Ils sont alors prêts à entrer dans le cercle des compromissions, tellement moins nocives pour l'harmonie relationnelle que les idées arrêtées et les grands principes !

Voilà, mon siècle indulgent, une des modifications majeures que tu as introduites dans notre vécu d'adultes : tu nous as colossalement ouvert l'esprit, élargi les idées, assoupli

l'échine dans tous nos rapports interperson-
nels. Dans l'Europe d'aujourd'hui, grâce à toi
– et aux psy qui nous ont appris à verbaliser
nos différends au lieu de les ruminer –,
hommes et femmes disposent de leur vie privée comme bon leur semble, ou plutôt comme
bon et mauvais adviennent et alternent au fil
de leurs biographies de plus en plus longues et
compliquées. À condition qu'ils ne fassent pas
de mal autour d'eux, les individus n'ont plus à
justifier leurs amours ni leurs désamours, leurs
attachements ni leurs désunions.

Reconnaissance officielle des homosexuels

L'exemple le plus spectaculaire de ce libé-
ralisme est certainement le nouveau comportement de l'opinion publique à l'égard des
homosexuels. La *Gay Pride* défile dans les
villes sous l'œil amusé des badauds, la télévision multiplie les débats où des couples
d'hommes et d'autres de femmes viennent
expliquer leurs amours, défendre leur droit à
une vie commune reconnue par l'État. Les
malades du Sida ne sont plus rejetés comme
les lépreux de jadis, même si leurs penchants
ont pu être à l'origine de la transmission de
leur maladie. Un ancien ministre, député maire

de Pau, André Labarrère, ose déclarer avec
franchise dans la presse : « Vous savez, à Pau,
tout le monde connaît mon homosexualité... Et
tout le monde s'en fout[1]... »

La France et la Communauté européenne
ont récemment réaffirmé dans leurs jurispru-
dences le respect du principe de non-discrimi-
nation et celui du libre choix des personnes
dans l'organisation de leur vie sexuelle. Le
Danemark a même voté en 1989 une loi autorisant les homosexuels à se marier[2]. Ces recon-
naissances « officielles » n'auraient jamais pu
intervenir sans la formidable évolution des
mentalités intervenue depuis une petite trentaine d'années. N'oublions pas qu'en Grande-
Bretagne, il y a à peine plus de cent ans – en
1895 –, le poète Oscar Wilde, poursuivi pour
homosexualité, fut condamné à deux ans de
travaux forcés pour outrage aux bonnes
mœurs ! Sans remonter si loin en arrière, des
génies comme Jean Cocteau, André Gide ou
Charles Trenet ont choisi de s'affirmer pour ce
qu'ils étaient dans une société qui leur faisait
une réputation sulfureuse.

Je me demande parfois si, au cours du prochain siècle, les parents ouvriront grand leurs

---

1. *Le Nouvel Observateur*, juin 1998.
2. En 1995, on comptait au Danemark 3 201 couples d'homosexuels mariés.

bras et leur cœur, sans aucune arrière-pensée, lorsque leur fils viendra gentiment leur faire la surprise, un dimanche à l'heure du déjeuner : « Voilà, Papa et Maman, je vous présente Philippe, nous nous aimons et nous avons décidé de vivre ensemble... » Si compréhensifs que puissent se sentir ou se vouloir des parents, pareille situation n'est pas encore admise comme une probabilité envisageable et assumable. Beaucoup de mères sont disposées à entériner ce choix, certaines avec le sourire, fort peu avec la joie au cœur ; les pères, eux, se laissent plus difficilement convaincre, ils ont le plus grand mal à intégrer cette donnée dans leurs schémas intellectuels et affectifs. Dans leur enfance, personne ne leur a jamais laissé soupçonner qu'ils pourraient un jour se trouver confrontés à un phénomène aussi étranger à leur propre personne. Une récente enquête de l'Institut national d'études démographiques[1] souligne ce contraste entre l'acceptation de l'homosexualité dans l'opinion publique en général, et les réticences qu'elle suscite dans le secret des familles. Les sociologues citent une preuve concrète de cette divergence entre le public et le particulier : le

---

1. « Comportements sexuels et Sida en France », *Population*, n° 6, février 1998.

départ plus fréquent et plus précoce des jeunes homosexuels du foyer familial. La différence avec la population générale va du simple au double : 66 % des « vingt-deux ans » vivent chez leurs parents en moyenne nationale, contre 34 % seulement chez les homosexuels. Il semblerait d'ailleurs que ce départ précoce ne les pénalise pas pour la suite de leur vie sociale, bien au contraire. Ils atteignent un niveau d'études supérieur à la moyenne, exercent plus de professions intellectuelles, maintiennent et dépassent plus souvent le niveau social du père.

Aux États-Unis, une étude de l'Université de Chicago a révélé que 10 % des hommes et 8,6 % des femmes de 18 à 59 ans ont connu une expérience homosexuelle. Certes, tout ce monde-là ne vit pas en couples unisexes ; cependant, le concept devient familier. Au cinéma, dans les romans, les feuilletons télévisés, les personnages « homo » se multiplient. Leurs rôles les montrent en général sympathiques, humains, pleins d'humour, plus attentifs aux peines de cœur des femmes que les brutes « hétéro » qui ne pensent qu'à « ça ». Cette vision très « politiquement correcte » de l'homosexualité n'a pas encore tout à fait traversé l'Atlantique. Les mentalités évoluent plus lentement sur le Vieux Continent ; elles progressent néanmoins.

On ne naît pas *homo* ou *hétéro*

Que penser aujourd'hui de l'homosexualité ? Me considérant comme trop marquée dans mes réflexions par mes craintes de mère de quatre fils, je préfère laisser Claude Halmos[1], psychanalyste, répondre à cette question. Ses explications m'ont paru remarquables de sobriété et d'ouverture d'esprit. Sa réponse devrait faire l'objet, dans les collèges, d'un commentaire de texte en classe d'instruction civique :

Il faut rappeler d'abord que l'on ne naît pas homosexuel ou hétérosexuel : dans les deux cas, on le devient. On parvient à la sexualité adulte à l'issue d'une évolution psychologique longue et difficile qui se fait en fonction des paroles qui vont être dites et des images d'hommes et de femmes que l'on va rencontrer. Le rôle des parents est donc primordial.

---

1. *Parler, c'est vivre*, ouvrage qui applique les principes de la psychanalyse aux problèmes de la vie quotidienne avec une simplicité de langage absolument étonnante de la part d'une spécialiste (Nil éditions).

Il arrive que l'on cherche longtemps sa route : beaucoup d'adolescents, par exemple, s'imaginent qu'ils sont homosexuels alors qu'il s'agit seulement pour eux d'une phase transitoire dans leur évolution.

Il est essentiel de répéter qu'en matière de sexualité, l'idée de norme n'a pas de sens. La sexualité est en effet le produit de mécanismes beaucoup trop complexes pour que l'on puisse les réduire à des critères de ce type. Être homosexuel n'est donc ni « mieux » ni « moins bien » qu'être hétérosexuel. C'est seulement différent.

Je n'aurais personnellement jamais pu écrire cette dernière phrase. J'ai toujours pensé que j'avais beaucoup de chance de n'être ni homosexuelle, ni même bisexuelle, mais très prosaïquement et simplement hétérosexuelle. Ce qui m'a permis d'aimer au grand jour sans m'afficher ni surtout me cacher. Encore plus contente de voir mes fils tracer leurs sillons amoureux bien classiquement, avec des histoires d'amours mixtes et des nichées d'enfants. Imprégnée de ces convictions si courantes dans ma jeunesse, je ne suis pas parvenue à les éliminer totalement de mes réactions. Je me rends bien compte que ce souci de « normalité », cette préférence marquée pour l'hétérosexualité, risquent d'entraîner des réactions vexantes et stupides, participer d'un climat de dérision, ou, pire, d'exclusion envers ceux qui n'entrent pas dans la norme majoritaire. Il arrive que ces pesanteurs culturelles fassent du mal à ceux qui en sont victimes ; il faudrait donc nous en débarrasser. Des mots comme ceux de Claude Halmos peuvent y aider.

Nous ne sommes pas tous des anges

Tu vois, mon siècle, j'essaie d'être de bonne foi. Je reconnais que tout n'est pas encore pour le mieux dans le plus tolérant de nos fors intérieurs. Je ne suis certainement pas la seule à lutter contre un fatras de peurs ancestrales, d'idées préconçues, de vieux réflexes racistes, sources d'agressivité et de culpabilité. Non, nous ne sommes pas tous des anges gardiens des Droits de l'Homme, nous entrons dans le prochain millénaire l'esprit encore tout encombré des vilenies inhérentes à la nature humaine. La violence, l'intolérance, le fanatisme, la quête d'un bouc émissaire, la volonté d'exclusion, tous ces mauvais instincts qui détériorent les relations interpersonnelles existent depuis que le monde est monde ; il ne faudrait tout de même pas t'accuser, toi, le xxᵉ, de les avoir « inventés ». Tes grands frères n'étaient guère plus vertueux que toi ; en matière de barbarie, les Huns et autres Vandales et Ostrogoths ressemblaient comme des frères à nos casseurs du temps présent.

Non, mon pauvre siècle, tu n'as certes pas été un modèle de vertu, mais il semblerait que tu sois en train de t'humaniser sur le tard. Tout au moins en ce qui concerne les aspirations personnelles des individus d'Occident. Contrairement à l'image que véhicule d'elle certains médias, le matérialisme, la violence et la haine n'envahissent pas toute la société ; de partout, au contraire, s'allument les clignotants d'un « nouvel âge » signalant un grand besoin de retrouver du sens, de développer des liens affectifs de meilleure qualité, plutôt que de se vautrer dans la consommation ou de se murer dans un égocentrisme forcené. Les observateurs de nos mentalités relèvent tous cette nouvelle tendance à plus de valeur humaine ajoutée[1]. Plus l'économie et l'univers professionnel génèrent d'angoisses et de déceptions, plus se manifestent un besoin d'équilibre personnel, une soif de partage, une

―――――――

1. Cette notion de valeur humaine ajoutée par opposition à la seule valeur économique a été développée par Gérard Demuth dans son livre si joliment intitulé : *Rien n'est plus pareil, mais ce n'est pas un drame*, Stock, 1997.

volonté de communauté, un retour à des comportements d'accueil et de bienveillance acceptant les contacts et les différences comme autant de sources possibles d'enrichissement.

Valeur en hausse : l'amitié entre femmes

L'amitié fait partie de ces valeurs en hausse. Surtout celle qui rassemble les jeunes en bandes et celle qui unit les femmes entre elles. L'amitié entre hommes a toujours été reconnue et valorisée. À travers les siècles, philosophes et moralistes ont vanté la pureté de ses motivations, la qualité de ses attachements, la fidélité de ses engagements. À l'inverse, pour de sombres motifs présupposés, faits de rivalités et de jalousies, les femmes avaient la réputation de ne pas savoir tisser entre elles de vrais liens de sympathie, voire de simples rapports de camaraderie. La solidarité entre femmes, exempte de toute connotation sexuelle, ne leur était reconnue que dans le cadre familial.

Depuis que les filles font des études et que les femmes travaillent ensemble pendant de longues années, tout a changé. Ayant plus d'occasions de se rencontrer et de s'apprécier, elles nouent des liens de « sororité » aussi forts que les rapports symétriques de fraternité. Un « clan » des femmes s'est édifié parallèlement à celui des hommes. Un réseau avec ses entraides, ses rites, son humour, ses plaisirs d'être ensemble, ses partages d'activités communes, ses espoirs et ses chagrins. Les modes de fonctionnement, les bénéfices, les engagements, les fidélités, les déceptions, tout, entre amies est désormais pareil qu'entre amis. Seule différence entre les copains et les copines : la capacité des femmes à se raconter alors que les mecs demeurent entre eux d'une pudeur extrême sur leurs jardins secrets. Espérons qu'au siècle prochain, les progrès de la communication inciteront les copains à diversifier leurs échanges : bagnoles, football, politique, œnologie et « meufs » fournissent d'excellents terrains de discussion et d'entente ; mais à condition de savoir également partager les joies, les soucis, les sentiments et les interrogations.

Enfin, il serait injuste de parler de relations affectives dans la société contemporaine sans mentionner la place tenue par les animaux de compagnie. Les chiffres sont incroyables : l'Europe occidentale nourrira en l'an 2000 près de 100 millions d'animaux familiers, tous poils, toutes plumes et toutes espèces confondus[1]. Le chiffre d'affaires généré par cette méga-ménagerie se compte en milliards d'Euros. Impossible, en revanche, de comptabiliser l'essentiel : les milliards d'heures de présence, de tendresse, de joies simples dont nous sommes redevables à ces compagnons irremplaçables. Plus leur espérance de vie augmentera, plus les humains auront besoin d'animaux à leur côté pour les inciter à perpétuer les gestes et les rythmes de la survie quotidienne.

Les animaux au service de la tendresse

En fait, mon siècle, tu nous as appris à partager nos jours avec des animaux sans aucune justification autre qu'affective. On en voudrait presque à son chat quand, faisant son métier de chat, il rapporte fièrement une souris morte sur le seuil de la maison. Pauvre musaraigne´ ! De même s'efforce-t-on de faire taire son chien, gardien trop zélé, quand il ameute le voisinage parce qu'un inconnu s'approche de son terri-

---

1. La France abrite à elle seule 44,3 millions d'animaux familiers, dont 8,1 millions de chats, 7,6 millions de chiens, 5,7 millions d'oiseaux, 21,4 millions de poissons (on peut à juste titre s'interroger sur la « compagnie » affective d'un poisson rouge) et 1,5 million de rongeurs (hamsters, souris, cobayes, etc.).

toire. On met un âne dans un pré parce qu'il a une bonne tête et que les enfants adorent le voir accourir et remuer les oreilles quand on l'appelle par son nom ; plus question de le bâter.

Voilà encore des êtres vivants qui peuvent se féliciter d'avoir vu le jour au XXe siècle plutôt qu'aux précédents. Quelle vie de chien avaient les chiens des siècles passés ! Par tous les temps ils restaient dehors, attachés à des chaînes ou enfermés dans des enclos grillagés. Ils mangeaient les restes et les détritus, recevaient plus de coups que de caresses, mis à part quelques bichons goinfrés de sucreries. Beaucoup d'animaux mouraient jeunes ou vieillissaient aveugles, puisque les grands vaccins n'existaient pas pour les protéger. Les vétérinaires étaient rares, ils se consacraient aux animaux de ferme ou de chasse, ceux dont la vie avait un prix, ou plus exactement un rapport. Bien peu se souciaient de soigner nos amis à poils aussi efficacement et affectueusement que les médecins veillaient sur la santé de leurs maîtres[1]. Quant aux chats, mieux valait pour eux ne pas naître noirs : ils risquaient, sinon,

---

1. On peut se demander si l'espérance de vie des animaux familiers ne suit pas la même courbe ascensionnelle que celle des être humains.

d'être diabolisés et de finir comme les sorcières, assassinés par superstition.

Ce grand respect des animaux, domestiques ou sauvages, est à inscrire également à ton tableau d'honneur, mon siècle ami des bêtes. Ce n'est d'ailleurs pas, et de loin, le seul progrès relationnel à porter à ton crédit : en mettant à notre disposition les avancées technologiques qui révolutionnent à une allure vertigineuse la communication, tu nous as permis de multiplier contacts, rencontres, découvertes, partages d'intérêts ou d'affections avec des tas de gens hier encore hors de notre portée. Contrairement à ce qui se dit chez tes détracteurs, ces nouveaux moyens ne nous enferment pas inéluctablement dans nos bulles égocentriques ; si nous le voulons bien, la communication moderne nous ouvre les yeux, les oreilles, l'esprit, parfois même le cœur sur l'extérieur.

Certaines de ces techniques sont si récentes que nous ne les avons pas encore tout à fait intégrées à nos comportements. Elles prendront au XXIe siècle un essor insoupçonné. Reste que tu auras été l'initiateur de cette nouvelle façon de nous ouvrir au monde dans ses plus grandes dimensions.

Oh ! lala ! Je vais vraiment me faire insulter, à force de te couvrir de compliments. Tant pis : moi, je te suis reconnaissante de m'avoir fait vivre dans la modernité plutôt qu'aux époques qui t'ont précédé, et j'ose le proclamer haut et fort !

Chapitre IV

Les révolutions
de la communication

Vive le téléphone, la radio, la télévision ! Vive le Minitel, le fax, les ordinateurs et Internet ! Vive tout ce qui agrandit notre cercle de vie, démultiplie nos contacts et nos découvertes, ouvre notre univers, nous apporte des nouvelles de chacun et de tout le monde, nous permet d'apprendre et de savoir plus vite qu'aucun humain n'avait pu le faire avant nous. En somme, vive la communication, réelle ou virtuelle, dont tu es et resteras aux yeux des historiens de l'humanité, mon siècle créatif, le grand propagateur !

Cette facilitation de nos contacts directs, de nos relations à distance, de nos incursions hors de notre minuscule microcosme personnel, a profondément révolutionné nos façons de vivre : en couple, en famille, en société.

Est-il besoin de préciser encore que je me préoccupe ici exclusivement des retentissements de la communication contemporaine sur notre vie privée ? D'autres, plus compétents que moi en matière économique ou sociale, dresseront le bilan de tes avancées et de tes échecs pour ce qui concerne l'univers professionnel. Les révolutions de la communication ont à l'évidence bouleversé de fond en comble le monde du travail et de l'emploi : simplifiant à l'extrême les procédures au sein des entreprises, démultipliant grâce à l'électronique les capacités de production, créant des créneaux d'expansion inimaginables à tes débuts, mais amplifiant jusqu'à l'intolérable l'onde de choc du chômage.

Tel n'est pas, cependant, l'axe de ce livre dans lequel je m'en tiens aux mutations profondes que ces progrès ont entraînées dans nos relations et nos façons de vivre.

En fait, mon siècle, bien que tu aies été novateur en diable, l'essentiel des découvertes dont il est question ici avaient été accomplies avant toi. Le premier télégraphe optique date de la fin du XVIIᵉ. La radio et la télégraphie sans fil furent inventées dans les dix dernières années de ton ingénieux prédécesseur. Même la télévision et le téléphone sans fil t'ont devancé de quelques années, lorsqu'ils firent leurs tout premiers pas. Seuls les micro-ordinateurs[1] et le fax[2] sont de purs produits contemporains de ta formidable créativité. Pourtant, jusqu'à toi, beaucoup de ces techniques demeuraient encore du domaine de la recherche et de l'expérimentation. Au cours de ta première moitié, tu leur as donné leur chance de passer au stade industriel, tu leur as ouvert les portes du marché, tu as encouragé leur conquête de nouveaux débouchés. En revanche, leur véritable essor, leur fabrication en masse, leur envahissement de tous les secteurs de la vie quotidienne, leur passage de l'usage sporadique et ludique à la nécessité

---

1. Le premier micro-ordinateur a été mis sur le marché en 1977 ; il s'agissait de l'Apple II, mis au point par Steve Jobs et Stephen Wozniak. Le premier IBM PC a vu le jour en 1981, le premier Macintosh en 1984. Aujourd'hui, 20 % des ménages français sont équipés d'un micro-ordinateur.

2. Un des ancêtres du fax, le bélinographe, a été inventé au tout début du siècle par l'ingénieur et physicien français Édouard Belin, mais son usage était limité à la transmission d'images pour la presse. Le premier fax a été utilisé au Japon en 1948, mais l'essor de la télécopie dans le grand public ne remonte qu'à 1975. Aujourd'hui, le parc de télécopieurs s'élève à plus de trois millions de machines, mais très peu sont utilisées à titre strictement privé. En revanche, l'usage mixte professionnel/privé a complètement transformé les conditions de vie et d'activité des travailleurs indépendants qui peuvent exercer à domicile une part beaucoup plus importante de leurs tâches.

professionnelle et privée datent des quarante ou cinquante dernières années.

Le téléphone a tout changé

Le téléphone est sans doute l'exemple le plus spectaculaire de ce bouleversement de nos habitudes. De mon vivant, je pense avoir manipulé à peu près tous les modèles de combinés mis à la disposition des particuliers ; depuis les gros postes en bois à manivelle jusqu'aux minuscules boîtiers actuels, quelle évolution accélérée ! Dans mon enfance, le seul poste de la maison, placé sur une « table-téléphone » dans l'entrée[1], permettait de temps en temps, avec beaucoup de chance et d'obstination, d'obtenir une opératrice, laquelle se démenait à son tour pour tenter de connecter entre eux des abonnés exaspérés[2]. Dans les villages, la demoiselle des Postes assumait cette fonction de standardiste tout en vendant les timbres ou en assurant l'expédi-

---

1. Cette présence du téléphone dans l'entrée, dans un souci de discrétion, pour ne pas déranger les autres membres de la maisonnée, aboutissait à l'effet inverse. Tout le monde « de passage » pouvait tendre une oreille indiscrète. Comment assurer dans ces conditions la confidentialité de ses premières amours ?
2. C'est de cette époque que date le fameux sketch de Fernand Raynaud sur le « 22 à Asnières » impossible à obtenir depuis Paris, qu'il finit par joindre en passant par New-York !

tion de colis postaux[1]. Très souvent, la préposée, derrière son guichet, laissait sonner interminablement, préférant s'occuper des usagers en chair et en os, qui remerciaient d'un sourire le service rendu, plutôt que de supporter les voix d'interlocuteurs anonymes, lointains et furibards.

L'interconnection a tout changé. Le jour où, en composant un numéro avec son index sur un cadran rotatif, on a pu obtenir son correspondant sans intermédiaire, le téléphone est vraiment devenu un bien de première nécessité. Est-il besoin d'insister sur la gamme des services qu'il a rendus et continue de rendre en pratique ? Ils sont infinis pour ceux qui savent utiliser son réseau avec efficacité et curiosité. L'Europe, plus enracinée dans ses habitudes épistolaires, a été bien plus longue que les États-Unis a acquérir le *telephone reflex* comme première étape de chaque acte de la vie domestique. Peu à peu, cependant, les habitudes s'uniformisent. En France, encore

---

1. Avant la guerre, à destination des pensionnaires, conscrits et autres « immigrés » de l'intérieur, le colis postal alimentaire faisait partie intégrante de la mission nourricière des mères de famille. Cette expédition de paquets s'est poursuivie pendant la guerre pour ravitailler les prisonniers de guerre et les citadins victimes de restrictions. L'agro-alimentaire et la grande distribution ont mis fin à ces pratiques de subsistance postale. Mieux vaut désormais un mandat qu'un gâteau, même fait maison !

plus que dans les autres pays d'Europe, on peut, grâce au Minitel, obtenir à peu près tous les renseignements nécessaires aux besoins quotidiens, sans avoir à se déranger. Personne n'aurait parié tripette, il y a vingt ans, sur la vente de pizzas livrées à domicile ; or il s'en consomme une dizaine de milliers chaque semaine dans une capitale comme Paris. Sans le téléphone, ce monument de l'antigastronomie et de l'antidiététique n'aurait jamais connu une telle popularité. Comme quoi le progrès n'est pas forcément l'ami du goût !

Au chapitre des rapports humains, l'instantanéité de l'information, la proximité de la relation, la possibilité de savoir exactement ce que l'autre vit au moment où il vous le raconte ont représenté un vrai bouleversement de nos contacts aussi bien amoureux que familiaux ou amicaux. Plus les générations se succèdent, plus les conversations se prolongent, plus l'intimité se moque des distances. Il suffit de regarder une pré-adolescente bavarder avec *sa* copine, le combiné coincé entre la joue et l'épaule, pour mesurer le fossé entre les habitudes téléphoniques des générations. Les minettes n'éprouvent aucun besoin de mettre une limite à leurs confidences sans fil. Leurs parents et grands-parents ne sont pas forcé-

ment aussi volubiles[1] ; il n'empêche : ils ne
peuvent absolument plus se faire à l'idée
d'être coupés du monde dans un lieu privé de
téléphones (pluriel volontaire, la plupart des
gens utilisant plus d'un poste dans leur pratique quotidienne ; ne serait-ce que le leur et
celui de leur lieu de travail).

Pauvre Madame de Sévigné !

Sans être une intoxiquée grave – je ne
déambule pas souvent dans les rues en clairon-
nant ma vie et mes soucis aux passants par
« mobile » interposé ! –, je ne sais vraiment
pas comment j'aurais pu vivre au temps de
Madame de Sévigné. Être contrainte d'écrire
de longues lettres à mes enfants, et à la plume,
pour garder le contact avec eux m'eût paru une
entreprise surhumaine. Quant à attendre une
réponse pour obtenir de leurs nouvelles, il eût
été vain d'en espérer souvent, à en juger par le
mal qu'ils ont de nos jours à envoyer ne serait-
ce qu'une carte postale quand ils voyagent...
En l'absence de relations de vive voix, il est
probable que nos liens affectifs, maintenus si
vivants téléphoniquement, se seraient peu à

---

1. Peut-être, très prosaïquement, parce qu'ils règlent les factures !

peu distendus. Certes, au XVIIe siècle, j'aurais sans doute entreposé au grenier, dans une grande malle, une vaste correspondance au lieu de voir s'évaporer sans traces tous nos bavardages téléphoniques. Après ma mort, certains sociologues ou historiens auraient-ils trouvé quelque intérêt à ces babillages familiaux ? Possible. Néanmoins, je préfère franchement une moisson de nouvelles fraîches à une très hypothétique reconnaissance posthume[1]. Quel plaisir de s'entendre dans l'instant plutôt que de se raconter au long cours ! Un malheur est si vite arrivé : comment être certaine de la véracité des bonnes nouvelles quand elles mettaient plusieurs jours à parvenir en malle-poste à leur destinataire ?

Au surplus, n'étant pas née « de Collange[2] », rien ne prouve que j'aurais su lire et écrire. Pour une Marie de Rabutin, grande dame, épistolairement bavarde, combien comptait-on, dans les siècles avant toi, de millions de gens analphabètes, incapables de

---

1. La Marquise de Sévigné entretint une abondante correspondance avec sa fille Madame de Grignan, son fils Charles et quelques amis de haut rang comme le cardinal de Retz, La Rochefoucauld, Madame de La Fayette, entre autres, mais ses lettres ne furent publiées qu'en 1726, trente ans après sa mort.

2. Aucun rapport donc avec la tribu maternelle de la Marquise, les de... Coulanges ! D'autant que Collange est un nom de plume...

correspondre avec leur parentèle ou leurs amours lointaines ? Peu d'entre eux bénéficiaient de l'aide d'un écrivain public pour utiliser la communication écrite. Il leur fallait tabler sur la venue d'un éventuel « messager » pour s'informer sur le sort d'un fils ou d'un mari partis se battre à la guerre ou tenter de gagner leur vie loin du pays natal. Ah, que les femmes étaient tristes en ces temps-là, murées dans les silences de l'absence ! Femmes de croisés, femmes de marins, femmes de généraux vainqueurs ou de prisonniers humiliés, mères de soldats inconnus, comme vous avez dû souffrir en attendant de savoir !

L'enfer de l'encre et de la plume

Admettons cependant que j'aie eu le privilège d'être instruite ; il m'aurait encore fallu écrire à la plume. Cet engin de malheur m'a terrorisée toute mon enfance. Encore avais-je la chance d'utiliser des Sergent-Major, la BMW de la calligraphie à l'école primaire, alors que la pauvre Madame de Sévigné traçait ses messages à la plume d'oie taillée. Modèle de plume mis à part, l'encre a toujours été mon ennemie intime. J'ai gardé trop de mauvais souvenirs de pâtés, d'encriers renversés, de doigts maculés, de devoirs à recommencer pour cause de saleté, de buvards oubliés, pour imaginer d'avoir la lettre comme moyen relationnel entre mes proches et moi. Même les stylos, pourtant interdits d'usage dans ma petite enfance sous prétexte qu'ils pervertissaient l'écriture, se débrouillaient toujours pour fuir dès que je m'en emparais. Il m'a fallu utiliser la pointe Bic[1] et surtout la machine à écrire pour mettre fin au terrorisme de l'encre et parvenir à m'exprimer par écrit. Je pense que je n'aurais jamais pu écrire des livres si le clavier n'avait été inventé[2] !

Techniquement, au cours de mon existence, le téléphone n'a cessé de se transformer. Quelle évolution depuis le poste unique, souvent accroché au mur, et qui obligeait à se déplacer pour répondre, jusqu'au mini-portable glissé dans un sac ou une poche, qui suit chacun dans le moindre de ses déplacements ! Chaque fois qu'un modèle plus perfor-

---

1. Le premier brevet pour un stylo à bille fut déposé en 1938 par un Hongrois : Laszlo Biro. Idée reprise ensuite vers 1950 par le baron Bic, avec le triomphe que l'on sait.
2. Certains « vrais » écrivains affirment exactement le contraire. Ils éprouvent un véritable culte pour la feuille blanche sur laquelle ils tracent à la main les mots de leurs idées. Ils refusent l'usage du traitement de texte, auxiliaire miraculeux de mon propre travail. D'autres avancent les arguments opposés en faveur de la « mémoire » de l'ordinateur, de l'absence de ratures, de l'extrême aisance des rajouts et repentirs, etc.

mant est apparu sur le marché, chaque fois que la multiplication des usagers nous a imposé des changements d'habitudes, nous nous sommes adaptés avec une souplesse étonnante. Prenons l'exemple des numéros de téléphone : les plus anciens accolaient lettres[1] et chiffres, puis les chiffres restèrent seuls, par sept, puis huit, enfin dix maintenant. En tant que téléphoniste amateur, j'ai accumulé les faux numéros avec les cadrans rotatifs à trous, apprécié la commodité des postes à touches, vu rapetisser les standards quand ils troquèrent les fiches contre des connexions électroniques, tenté de faire fonctionner dans les cabines publiques les appareils à pièces, avant diffusion des cartes à puce. Enfin, ces toutes dernières années, je me suis laissé intoxiquer par la portablomania. Mon GSM ne me quitte plus : là où je suis, il est ; là où je vais, il va.

---

1. J'adorais les indicatifs parisiens composés des trois premières lettres d'un quartier ou d'une rue importante. Je me souviens de « REPublique », de « LECourbe », d'« ODEon », de « PASsy ». Quand on a supprimé les lettres pour multiplier les lignes, nous avons eu un mal fou à mémoriser les numéros exprimés intégralement en chiffres ! Peu à peu, notre mémoire s'est habituée. L'exercice qui consiste à ne pas consulter systématiquement son répertoire et à mémoriser les quelques numéros que l'on appelle fréquemment est d'ailleurs recommandé par la Faculté pour entretenir ses capacités cognitives.

Le portable sert de doudou...

Les conséquences de ce nomadisme télé-phonique commencent tout juste à se faire sentir dans nos comportements quotidiens. Sans doute ne mesurera-t-on qu'au siècle prochain le véritable impact de cet usage sur nos relations. Serons-nous plus dispersés, moins attentifs aux autres quand nous multiplierons à l'infini les occasions de contacter tout un chacun ? Tirerons-nous au contraire des bénéfices relationnels immenses grâce à notre ubiquité et à notre capacité infinie de joindre et d'être joint ? Il est sans doute trop tôt pour le dire.

Deux psychanalystes, Georges Pragier et Sylvie Faure, proposent une version optimiste de notre « portabilité » téléphonique :

Avec le portable, n'emporte-t-on pas avec soi le substitut symbolique de sa propre maison, pour être protégé et rassuré ? Il relie au monde rassurant des proches et, dans le même temps, il protège contre l'angoisse de la séparation. On peut choisir de l'emporter partout avec soi, de l'acheter à son partenaire, ou de le laisser branché sur répondeur. Le portable serait alors vécu comme le représentant d'une mère toujours accessible qu'on ne quitte jamais[1]...

---

1. « Petite psychanalyse du portable », article paru dans le mensuel *Psychologie* en janvier 1998.

En somme, notre petite boîte noire ferait fonction d'ours en peluche ou de doudou pour les grands bébés que nous restons à jamais !

Impossible d'évoquer les mutations pratiques et relationnelles liées au téléphone sans souligner également l'importance prise depuis quelques années par le répondeur (lequel répondeur se révèle un des atouts non négligeables du portable par sa personnalisation et sa confidentialité absolues, ce qui n'est pas le cas de la « machine à répondre » familiale !) Grâce à lui, les nouvelles de tous, les messages d'amour ou de tendresse, les occasions de rencontre, les renseignements pratiques ne se perdent plus dans le vide de l'absence. Après une première réaction de refus dans les années quatre-vingt – souvenons-nous : beaucoup de gens raccrochaient en entendant le message enregistré –, nous avons appris à domestiquer ce bloc-notes magnétique.

Désormais, non seulement le répondeur rend service, fait gagner du temps, multiplie les occasions de présence verbale, mais il fait également office de bouclier protecteur contre les intrusions maniaco-téléphoniques. On ne se sent jamais aussi parfaitement à l'abri de tout qu'après avoir coupé la sonnerie de son téléphone et branché son répondeur. Excellente façon de reprendre la haute main sur notre temps personnel que d'autres s'arrogeaient le droit de nous voler en nous « sonnant ».

Huit minutes par jour et par abonné !

Pour satisfaire nos exigences d'échanges verbaux, nos factures n'ont cessé, au fil des ans, d'enfler en nombre d'appels et en temps passé[1]. Heureusement, plus nous consommions de minutes, plus l'unité baissait en valeur relative. S'il nous fallait à présent régler nos multiples et interminables conversations personnelles, en francs constants, aux mêmes tarifs par seconde que ceux pratiqués durant ta première moitié, ô mon siècle terriblement bavard, seuls les multimillionnaires conserveraient un combiné à domicile. Aucune famille de classe moyenne, comptant parmi ses membres un ou deux adolescents, ne pourrait s'offrir ce luxe de première nécessité !

Aujourd'hui, 97 % des foyers disposent d'une ligne téléphonique[2] ; un foyer sur trois

---

1. Tout le monde n'a pas la chance de pouvoir passer l'essentiel de ses communications personnelles depuis son lieu de travail !

2. 1881 : 1 602 abonnés au réseau téléphonique urbain à Paris ; 1938 : 15 % des foyers connectés en France ; 1950 : 20 % ; 1970 : 50 %.

est équipé d'un répondeur. Pour tous, le téléphone est devenu aussi banal et indispensable
que l'eau courante et l'électricité. En
moyenne, chaque abonné passe huit minutes
par jour au bout du fil, pour deux appels reçus
ou donnés. Une remarque au passage sur la
relativité des « moyennes » nationales :
combien faut-il de gentilles vieilles dames qui
se contentent de payer leur abonnement pour
permettre à leurs enfants de les appeler à tarif
réduit le samedi après-midi ou le dimanche,
elles-mêmes ne téléphonant qu'une à deux fois
par mois, en cas d'extrême urgence, pour
contrebalancer les délires verbaux des adolescents qui bloquent la ligne pendant des heures
en commentant leurs émois ou leurs équations ? Vu la croissance exponentielle des
amoureux longue distance[1] enclins à se susur-
rer interminablement leurs désirs et leurs frustrations par téléphone, et la multiplication des
commères capables de pouffer, de s'indigner,
de s'émouvoir aussi intensément au bout du fil
qu'au coin du feu ou sur le pas de leur porte,

---

1. La mobilité des individus liée au développement des transports, l'activité professionnelle des femmes, l'accroissement des
loisirs, la crise de l'emploi, favorisent la formation de couples
dont les partenaires se trouvent géographiquement éloignés. Ils
font la fortune des compagnies de téléphone !

combien faut-il d'abonnés qui n'appellent *jamais* pour aboutir à ce temps d'usage moyen de huit minutes par jour ?

J'ai commencé mon inventaire des bienfaits de la communication moderne par le téléphone parce que je suis convaincue que, de tous les progrès dont nous te sommes redevables, cher XXe, le « coup de fil » représente l'arme la plus efficace qui soit contre la solitude, l'angoisse et le mal de vivre. Certains estimeront que la télévision et la radio ont modifié plus radicalement encore nos façons de vivre. Soit. Il est bien difficile de hiérarchiser. Comme disait ma grand-mère, « chacun voit midi à son clocher... » Un célibataire travaillant de ses mains et fou de cinéma peut placer la radio en tête de ses priorités existentielles. À l'inverse, une veuve retraitée demandera au petit écran de la relier à la Planète entière. Vois-tu, mon siècle préféré, c'est sans doute de cette multiplicité des liaisons avec le monde qui nous entoure que je te sais le plus gré. Désormais, grâce à toi, les moyens de l'information et de la communication ne sont plus réservés à une petite élite. Les reportages télévisés dans nos banlieues les plus défavorisées ou dans les villages les plus reculés du globe nous en donnent chaque jour la preuve : le poste de radio a sa place dans chaque chambre ; le poste de télévision trône dans tous les livings[1].

Une danseuse dans une radio

Au printemps de 1937, Paris accueille l'exposition internationale « Arts et Techniques du Temps présent ». Cent hectares entre le Champ-de-Mars et le Palais de Chaillot (tout nouvellement construit pour remplacer l'ancien Trocadéro). Pour les grandes personnes comme mes parents, la manifestation est dominée par les pavillons allemand et soviétique, aussi gigantesques et menaçants l'un que l'autre, qui se défient de part et d'autre de l'esplanade. La présence au pavillon de l'Espagne d'une fresque de Picasso intitulée *Guernica*[2] rappelle à tous les visiteurs l'horreur de la guerre civile espagnole. À six ans et demi, ma conscience politique n'est pas encore suffisamment éveillée pour que je me sente concernée par cet aspect de l'expo – je

1. Taux d'équipement des ménages européens en téléviseurs couleur : Espagne : 97,5 % ; Pays-Bas : 96,8 ; Royaume-Uni : 95,8 ; Belgique : 95,4 ; Allemagne : 95 ; Italie : 95 ; Danemark : 94,8 ; France : 94,8 ; Grèce : 86,7 ; Portugal : 83,3.
2. Le bombardement du bourg de Guernica, aux environs de Bilbao, siège du Gouvernement autonome basque, par les stukas allemands, eut lieu le 26 avril 1937. Il fit quinze cents morts et plus de mille blessés.

n'ai admiré le chef-d'œuvre de Picasso que cinquante ans plus tard, à Madrid, dans l'admirable musée construit pour l'accueillir après qu'on l'eut rapatrié de New York. En revanche, je me souviens comme si c'était hier d'une petite pièce sombre où mon père m'emmena pour assister à une « première » en direct de la tour Eiffel.

Une cinquantaine de personnes debout regardent fixement une sorte de grande boîte en bois ; au centre, une vitre un peu bombée, de la taille d'une feuille de papier à dessin. Tout à coup, la fenêtre s'allume : une danseuse de l'Opéra en tutu multiplie pirouettes et arabesques sur de la musique de Léo Delibes. Cette petite silhouette me fascine ; on croirait du cinéma[1], mais il n'y a pas de projecteur. La boîte n'est reliée au mur que par deux gros fils noirs. L'objet me fait penser au poste de radio installé chez nous au salon. Comment expliquer cette danseuse qui gigote au beau milieu d'une radio ? Papa me prend dans ses bras pour me permettre de mieux voir. Il me souffle à l'oreille :

« Tu vois, Christiane, cette grosse boîte s'appelle un poste de télévision. Quand tu

---

1. À l'époque, je suis déjà allée plusieurs fois au cinéma voir *Les Trois Petits Cochons*, des films de Charlot et ceux de Laurel et Hardy.

seras grande et que tu auras des enfants, il y aura des boîtes comme celle-ci dans toutes les maisons. Il suffira de tourner un bouton pour recevoir chez soi, à l'heure du dîner, des images venues du monde entier[1]... »

Cher Papa, aussi passionné par le progrès que par ses enfants ! Il avait ainsi l'habitude de nous prendre à témoin des mutations en cours au sein de la société, pour nous faire participer à l'élaboration du monde qui serait le nôtre plus tard. Je lui dois sans doute pour une grande part la sympathie que tu m'inspires, toi, mon siècle si souvent mal-aimé. Malgré deux guerres affrontées sous l'uniforme et des origines juives qu'il ne faisait pas bon assumer dans les années 40, Papa n'a cessé de nous vanter le culte du progrès et la curiosité du lendemain. Il a toujours éprouvé une fascination prémonitoire pour la révolution que représenterait l'extension au monde entier de la télévision. Il en escomptait un bouleversement fondamental des mentalités et des modes de vie. Il n'avait pas tort.

---

1. On n'envisageait pas encore, à cette époque, que la télévision pourrait un jour émettre 24 heures sur 24 !

Rééquilibrer le positif et le négatif

Je sais, il est de bon ton de déplorer l'invasion télévisuelle de notre sphère privée. Je suis la première à déplorer :

● la dépendance des tout-petits qui n'envisagent plus de passer une soirée sans mettre pour la centième fois *la* cassette de leur dessin animé préféré[1]. Dès l'âge de deux ans ils actionnent sans hésitation magnétoscope et télécommande, choisissent le chiffre de leur chaîne de *cartoons*, bien qu'ils ne sachent pas encore lire les nombres.

● l'intoxication de nos écoliers qui, fascinés par les mièvreries de leurs feuilletons débiles ou par la violence scandaleuse de certains héros japonais de science-fiction, n'imaginent plus la vie que comme un roman à l'eau de rose (côté filles) ou comme un règlement de comptes sanglant (côté garçons). J'annonce un jour à l'un de mes petits-fils qu'une vieille dame de la famille est morte : « Qui l'a tuée ? » me demande-t-il aussitôt. Étonnons-

---

1. Taux d'équipement des foyers en magnétoscope : 1,2 % en 1980, 67 % en 1996 (77 % chez les moins de vingt-cinq ans). Encore un bien de consommation considéré à ses débuts (en 1975) comme un gadget de luxe et qui est presque devenu, en vingt ans, un objet de première nécessité. Les enfants ne sont certainement pas étrangers à cette croissance vertigineuse.

nous ensuite que des moutards mettent à sac leur école !

● l'anxiété entretenue par l'information télévisée et sa sélection minutieuse des événements ou incidents les plus dramatiques. Crimes, massacres, émeutes, guerres, hold-ups, faits divers crapuleux ou sordides, toutes les manifestations de violence priment sur le moins spectaculaire, procurant aux milliards d'individus qui regardent ces images l'impression de vivre dans un monde dominé par la haine, le danger, le crime et le malheur.

Il ne s'agit pas de taire cet aspect de l'actualité : la seule façon d'agir contre le mal est d'en prendre conscience. Ne serait-il cependant pas envisageable de faire la balance un peu plus égale entre le positif et le négatif ? L'opinion réclame un tel rééquilibrage[1]. Pourquoi, par exemple, ne pas reléguer les images sombrissimes de l'actualité aux heures avancées de la soirée, quand seuls les adultes gardent encore les yeux ouverts ? Le bénéfice pourrait être double pour les responsables de

---

1. Sondage CSA publié dans *L'Événement du Jeudi* à la fin 1997. 88 % des personnes interrogées approuvent l'idée selon laquelle : « les journalistes doivent veiller à équilibrer les informations qu'ils donnent en pensant à mettre aussi en valeur ce qui marche bien, ce qui est positif... » ; 9 % seulement des sondés trouvent « normal que les journalistes s'intéressent plus particulièrement dans l'actualité à ce qui va mal... ».

l'information télévisée : d'une part, ils joui-
raient d'une meilleure réputation dans l'opinion en préservant les enfants de la diffusion
de certains reportages choquants ; d'autre part,
ils trouveraient après 22 heures une nouvelle
audience d'adultes amateurs de sensations
fortes. L'horreur à hautes doses, plusieurs fois
par jour et pour tout public, se révèle forcément néfaste. Bien filmée et expliquée, en
quantité limitée, elle retrouvera son impact et
sa nécessité.

Une anecdote significative : en septembre
1997, au moment de la rentrée des classes, je
regarde un journal télévisé, un matin de
semaine, vers huit heures. À cette heure, la
plupart des enfants sont encore présents à la
maison ; beaucoup finissent leur petit déjeuner
en jetant un œil vague au petit écran s'il est
déjà allumé. Le présentateur annonce : « Nous
venons de recevoir des images de Russie[1],
celles d'un orphelinat où des enfants sont
laissés à l'abandon, faute de personnel et
d'argent pour subvenir à leurs besoins. Certaines de ces images sont extrêmement

---

1. Peut-être était-ce d'Ukraine ou de Biélorussie ? Je m'em-
mêle dans tous ces nouveaux pays issus de l'éclatement de l'ex-
URSS. C'est comme les *nouveaux* francs en 1958, et bientôt
l'Euro en 2002 : il faut à nos pauvres petits cerveaux bornés au
moins vingt ans pour digérer ces gros chambardements.

pénibles à regarder, mais nous avons pensé qu'il s'agit d'un témoignage exceptionnel sur les difficultés de vie dans les pays de l'ancienne URSS. » Suit l'apocalypse ! Des enfants squelettiques, à demi revenus à l'état sauvage, croupissant dans un dénuement et une saleté inqualifiables. Trente secondes d'immersion dans l'enfer absolu. Des images insoutenables pour des regards d'adultes ; scandaleuses si l'on songe que des enfants ont pu en être les spectateurs. Au nom de quelle « conscience professionnelle » des journalistes ont-ils pu prendre la décision de diffuser un tel reportage à une heure pareille ? Pour « griller » les chaînes concurrentes ? Même sauvage, la concurrence n'excuse pas tout ! Oui, il y a des enfants en danger de mort partout dans le monde, il faut insuffler aux nations occidentales l'envie de leur porter secours, prendre les opinions publiques à témoin pour tenter de faire cesser ces atrocités. Mais, pour éveiller la sensibilité des adultes au sort de ces petits martyrs, fallait-il risquer de perturber gravement l'équilibre d'autres enfants qui avaient la chance, eux, de mener une vie normale ?

Le plus fort remède contre l'ennui

Malgré tous ses défauts, ses ratages, ses cadavres, ses coups de feu, ses flaques de sang, malgré la stupidité de ses jeux, la banalité de ses feuilletons, les minauderies de ses animatrices, la prétention de ses présentateurs, la démagogie dans le choix des sujets qu'elle aborde, la mauvaise foi de ses débats politiques, les erreurs de prévision de sa météo, etc. Malgré tous ces reproches justifiés, les réformes indispensables, les mises en garde nécessaires, je suis une inconditionnelle de la télévision pour tous. Je lui voue une reconnaissance aussi grande qu'à toi, mon siècle surinformé, dont elle est totalement indissociable dans mon esprit. Je lui pardonne presque tout parce qu'elle combat et vainc la plus pernicieuse des sapeuses de moral : la solitude, cette forme d'exclusion du monde des vivants.

Les gens d'aujourd'hui n'imaginent même plus ce qu'étaient les hôpitaux, les cliniques, les prisons ou les maisons de retraite sans la petite lucarne ! L'antichambre des cimetières. La pensée de la mort hantait les esprits privés de toute occasion de penser à autre chose qu'à leur triste condition. Quand on rend visite de nos jours à un nouvel opéré, à une jeune accouchée, à une pensionnaire du quatrième âge, on éprouve parfois une certaine gêne à les déranger au milieu de leur feuilleton ou de leur jeu préférés. Quel contraste avec l'abattement qui régnait jadis dans tous ces lieux de réclusion !

Côté distraction et communication, le commun des mortels était à peine mieux loti en fin de journée ! Avant toi, mon siècle roi du divertissement, quand la nuit tombait de bonne heure, les soirées tiraient démesurément en longueur. Trêve de fariboles sur le charme des veillées familiales où les vieux racontaient aux plus jeunes, attentifs et émerveillés, les contes et légendes du temps jadis ! Croyez-moi, la plupart du temps, le repas du soir s'avalait en quasi-silence, mis à part quelques commentaires succincts sur les micro-événements de la journée. La dernière bouchée avalée, on envoyait les enfants se coucher, on expédiait la vaisselle, on dispersait les braises et on gagnait son lit.

Souvent, il n'était guère facile de s'endormir, sans doute parce qu'il était trop tôt pour avoir vraiment sommeil. Une poignée de privilégiés lisaient avant d'éteindre ; j'ignore la proportion exacte de ces lecteurs du soir, mais je peux affirmer qu'ils n'étaient guère majoritaires. Pendant des siècles, les soirées n'ont valu la peine d'être prolongées qu'aux beaux

jours, quand il faisait bon rester dehors, se promener, trouver des occasions de bricoler
encore avant d'aller se coucher. Six mois par
an, dans le bon vieux temps, une chape de
morosité s'abattait sur tous dès la nuit tombée.
Amoureux mis à part, bien entendu[1]...

Le petit écran n'abrutit pas le peuple

Qu'on ne me dise pas que la téléphagie
empêche les masses de se cultiver, de lire,
d'aller au cinéma ou au concert. Non seulement je ne suis pas d'accord avec cette théorie
de l'abrutissement du peuple par le petit écran,
mais je pense exactement le contraire.

Les gens qui, de nos jours, mettent rarement
le nez hors de chez eux, qui ne lisent pas un
livre par an, qui n'ont guère d'occasions de

---

1. Dans une population normale, le pourcentage des individus
suffisamment épris l'un de l'autre pour passer des soirées entières
à se regarder dans le blanc des yeux, se tenir la main, se caresser,
etc. sans voir le temps passer, ne doit guère dépasser quelques
pour cent entre 15 et 50 ans. J'ai procédé à un petit calcul : on
peut estimer qu'au cours d'une vie normale, un individu sera
amoureux fou deux fois (en moyenne) pendant un ou deux ans.
Dans un pays comme le nôtre qui compte environ trente millions
d'individus des deux sexes dans cette tranche d'âge, on peut estimer à 500 000 ceux qui, chaque soir, trouvent en eux-mêmes tout
ce dont ils ont besoin pour se distraire... sans songer à allumer la
télévision. 500 000 amoureux = moins de 1 % de la population
totale !

sortir le soir pour se distraire, avaient-ils naguère des aspirations culturelles plus marquées ? La radio et la télévision représentent pour eux une fabuleuse ouverture, une occasion inespérée de rester en contact avec le monde qui les entoure, une source quasi inépuisable de détente, de rêverie, de connaissance, de culture au sens le plus large. Même les émissions les plus simplettes, les refrains les plus rabâchés occupent l'esprit pendant que les mains travaillent. Faites donc le test de la ménagère en tentant de repasser une même pile de linge, une fois sans accompagnement sonore, une autre avec la radio branchée. Pour un même temps passé, quelle différence dans la pénibilité ! La pollution des esprits par la bêtise des commentaires et le choix déplacé des images existe : tous les progrès ont leur revers ; néanmoins, au moment de dresser un bilan, le positif de la communication l'emporte si largement sur le négatif que je ne comprends même pas que l'on puisse remettre ses bénéfices en question.

La multiplication des chaînes et des programmes, liée à l'essor du numérique et des satellites, va-t-elle modifier notablement les relations entre les téléspectateurs et leur passe-temps favori ? Je n'en suis pas du tout persuadée. Les vrais intoxiqués ingurgitent d'ores et déjà une dose d'heures d'écoute si élevée qu'il semblerait difficile qu'ils aillent au-delà[1].

Trop de chaînes coupe l'appétit

Pour les consommateurs modérés qui se cantonnent, selon les jours et les programmes, dans des limites plus raisonnables[2], l'abondance de chaînes, loin d'engendrer un nouvel appétit d'images, risque de susciter l'effet inverse. J'en ai fait moi-même l'expérience : au bout de quelques semaines d'abonnement au câble ou à un bouquet-satellite, la nécessité d'une présélection, à l'aide de la presse écrite, devient impérative. Si l'on ne sait pas ce que l'on souhaite regarder avant d'allumer son poste, je défie qui que ce soit de s'y retrouver dans le maquis des programmes mis à disposition. Pour arrêter son choix, il faut zapper entre des dizaines de chaînes, activité tout à fait lassante et, qui plus est, incohérente : impossible de se faire une idée d'un film, reportage, documentaire ou feuilleton, en ne

---

1. 2 % seulement des téléspectateurs français et allemands regardent la télévision plus de six heures par jour.
2. Un peu plus de trois heures par jour en moyenne. Le chiffre est similaire en Allemagne et légèrement plus élevé en Grande-Bretagne.

disposant que de quelques secondes pour saisir l'intérêt d'une histoire ou la valeur d'un témoignage. Il m'est arrivé d'éteindre mon poste par *overdose* de zapping. Notre appétit d'images n'est pas insatiable : au-delà d'une dizaine de chaînes habituelles, on ne cherche même plus à savoir ce qui se passe sur les autres canaux.

Reste une inconnue dont nous ne serons pas, nous les adultes de maintenant, les acteurs, mais peut-être seulement les témoins : les conséquences d'Internet sur la vie personnelle des « branchés » et leurs façons de communiquer. Cette « globalisation » virtuelle de chacun apportera-t-elle d'immenses satisfactions sur le plan intellectuel ? Maîtres des sujets et du rythme de nos recherches, ferons-nous montre d'un nouvel appétit de savoir ? Notre connexion universelle ne nous fera-t-elle pas perdre un temps fou en pianotages ludiques mais frustrants ? Sortirons-nous de moins en moins de nos cyber-maisons ? Laisserons-nous nos *modems* au grenier après nous être aperçus qu'ils ne nous servaient pas à grand-chose ? Oublierons-nous d'adresser la parole à nos proches pour refaire le monde avec nos correspondants coréens, texans, tchèques ou néo-zélandais ? Bien malin celui qui peut le dire aujourd'hui. Personnellement, je ne me risquerais pas à la moindre prédiction. Sauf pour dire que les modes de vie de mes enfants en seront certainement modifiés, et ceux de mes petits-enfants plus encore renouvelés : il faut en effet au moins une ou deux générations pour que les révolutions technologiques influent en profondeur sur les mœurs.

Une ou deux générations, c'est aussi le délai qu'il nous a fallu pour apprendre la mobilité, pour repousser sans cesse les limites de notre territoire existentiel, pour gagner la bataille du temps dans nos déplacements grâce aux progrès vertigineux des transports. Des « bonds en avant » qui ne sont certes pas sans risques ni inconvénients, mais dont les bénéfices compensent plus que largement les désagréments.

Chapitre V

Les prouesses de la mobilité

Enfant, lorsque je passais mes vacances de Pâques à la ferme pour respirer le bon air et m'amuser à traire les vaches, j'adorais le lundi matin, jour de marché. Toute la maisonnée se levait à l'aube pour atteler la grosse jument et arriver au bourg avant la cohue. Il fallait soi-disant partir très à l'avance pour trouver un bon emplacement où attacher le cheval et sa carriole. Je soupçonnais plutôt la fermière de vouloir bavarder avec ses commères pour récolter tous les potins du canton avant d'être accaparée par la vente de ses produits à ses pratiques habituelles.

Je m'asseyais à l'avant, entre le fermier et sa femme. La capote en toile devait être un peu courte, nous étions mal abrités quand il pleuvait dru ; à l'arrière, on était trop brinquebalés lorsque les grandes roues en bois cerclées de fer passaient sur une pierre ou s'enfonçaient dans une ornière. Nous faisions la route au trot, en principe pour ménager la bête, surtout pour protéger les œufs des cahots. Quand les secousses étaient trop fortes et nombreuses, la fermière prenait la précaution de soulever le grand panier d'osier rempli à ras bord du produit de sa basse-cour : des « extra-frais » qu'elle vendait par lots de treize à la douzaine à ses meilleures clientes[1]. Nous mettions plus d'une demi-heure pour couvrir les neuf kilomètres séparant notre village du marché. Je regrettais souvent que le voyage fût si court. Rien n'est plus amusant, quand on a huit ou dix ans, que de regarder la croupe d'un cheval qui trotte ; surtout quand, sans ralentir l'allure, il soulève sa queue pour laisser choir un gros crottin bien doré ! Joies d'un autre siècle, que je suis heureuse d'avoir connues : elles me permettent de témoigner de la fulgurance de

1. Encore un mini progrès, fort appréciable, de l'industrie de l'emballage : les boîtes à alvéoles qui évitent la casse des œufs dans les allées et venues domestiques. Je me souviens d'avoir enveloppé, un à un, dans des papillotes en papier journal, des douzaines d'œufs « coque » que nous rapportions fièrement de la campagne au lendemain de la guerre, quand le ravitaillement était rationné et aléatoire. Même ainsi protégés, il en arrivait plus d'un cassé. Dans certaines crèmeries, jusqu'au milieu du siècle, on vendait les œufs cassés « en solde » pour l'utilisation en cuisine (omelettes, mayonnaise, pâtisserie, etc.).

tes progrès, ô mon siècle véloce, en matière de transports !

De vrais embouteillages sans pollution

L'entrée au chef-lieu de canton n'était pas toujours aisée. Carrioles et charrettes circulaient dans l'anarchie la plus totale, stationnaient en plein milieu de la rue principale pour charger/décharger gens et marchandises, effectuaient des demi-tours, marchaient au pas, s'arrêtaient pile. Une vraie pagaille ! Les chevaux détestaient ces embouteillages. Il fallait tenir les rênes bien serrées pour les empêcher de faire des écarts. Il s'agissait bien d'embouteillages, grands frères de ceux d'aujourd'hui, sans vapeurs d'essence mais avec la même exécrable humeur des hommes, horripilés par la mauvaise volonté des autres conducteurs... et de leurs bêtes. Sans feux de signalisation[1] aux carrefours, dans cette Normandie profonde, les gendarmes avaient bien

---

1. Les feux tricolores ont été inventés aux États-Unis au début du siècle et installés pour la première fois en 1918 à New York. Ils étaient alors commandés manuellement par un agent posté au milieu du croisement sur une plate-forme surélevée. Les premiers feux automatiques de contrôle de la circulation furent mis en service dans les années 1920. Paris en fut très vite doté, la province beaucoup plus lentement.

du mal à rétablir le flux de la circulation. Il paraît que dans la Rome antique, quand les chars se refusaient le passage dans les ruelles du Trastevere, les encombrements n'étaient pas tristes non plus.

Personnellement, je n'ai pas connu les embarras hippomobiles de Paris. Ma grand-mère en gardait un souvenir terrifié. J'ai cru comprendre que les « piétonnes » du début du siècle, engoncées dans leurs corsets, perchées sur leurs bottines et coiffées de chapeaux prêts à s'envoler à la moindre brise, ne relevaient pas leurs jupes longues pour traverser les rues. Incapables de courir ou même de se hâter, elles avaient sincèrement peur de tout incident risquant d'intervenir dans leur environnement urbain. Son pire souvenir : un cheval de fiacre emballé renversant les piétons sur son passage et mettant en péril la vie de ses passagers. Elle m'a appris à cette occasion le sens de l'expression « prendre le mors aux dents » : quand un cheval attrape la barre du frein avec ses inci-sives, on ne peut plus le diriger ; seule solution pour l'arrêter dans sa course : se jeter à la tête de l'animal, saisir le mors, le remettre en place pour permettre au cocher de reprendre la direction en main. Les intrépides qui se risquaient à cette intervention périlleuse étaient généreusement récompensés par les propriétaires de l'équipage.

Grand-mère affirmait qu'à tes débuts, mon siècle multiplicateur de déplacements individuels, il était déjà impossible de traverser la place de la Concorde vers cinq heures de l'après-midi ou de remonter l'avenue du Bois[1] par un dimanche matin de printemps. Les jurons des cochers, les sifflets des sergents de ville se montraient impuissants à canaliser le trafic. On ne fait pas reculer, se garer, s'arrêter des chevaux avec la même facilité que des engins motorisés. Il manque aux bêtes la souplesse de la marche arrière ! Pourtant, quand les premières voitures automobiles se mêlèrent à la circulation, la situation ne fit qu'empirer. Lorsqu'un moteur calait, il fallait descendre pour le faire repartir à la manivelle. Imaginez la scène au milieu d'une grande artère de Londres, Milan ou New York !

Quand je raconte à mes petites-filles qu'à leur âge je me rendais au marché dans une voiture à cheval ; quand, voulant paraître moins « amortie », je leur précise qu'à l'époque où

---

1. C'est ainsi que s'appelait l'avenue Foch avant la guerre de 1914/1918. Ma grand-mère n'a jamais pu l'appeler autrement. L'esprit humain a un mal fou à débaptiser les lieux dont il a enregistré les noms dans sa jeunesse. Ainsi, pour beaucoup de Parisiens, la place de l'Étoile restera toujours la place de l'Étoile ; la mémoire de Charles de Gaulle n'y pourra rien changer.

leurs pères avaient leur âge, nous mettions entre trois à quatre heures, par la nationale, pour parcourir le trajet qu'elles trouvent déjà longuet de couvrir en quelque deux heures par l'autoroute, elles me regardent comme un dinosaure. Je me demande d'ailleurs si, depuis *Jurassic Park*, elles ne sont pas plus familières avec les grands sauriens qu'avec les us et coutumes de ma propre enfance.

Dans les livres de la comtesse de Ségur et les fictions historiques diffusées à la télévision, il y a des carrioles et des charrettes, des cabriolets et des phaétons. Dans les films des Bourvil qui repassent régulièrement sur les écrans, elles peuvent apercevoir des tractions avant avec leurs portes qui s'ouvrent dans le sens de la marche. Toutefois, mes petites-filles ne lisent plus *Les Malheurs de Sophie* et les voitures à cheval ou à moteur qui traversent les écrans n'ont pour elles aucun rapport avec leur environnement quotidien. Comme leur grand-mère n'est pas totalement croulante, il est difficilement imaginable à leurs yeux qu'elle ait pu vivre à une époque où n'existaient ni voitures rapides, ni avions à réaction, ni trains à grande vitesse, ni RER, ni hélicoptères ; dans un monde limité où l'on se déplaçait peu, sur de courtes distances, en prenant le temps de prendre son temps...

Plus rien n'est loin en temps virtuel

Cette relation distance/temps a explosé au cours de ces cinquante dernières années, et la géographie s'en est trouvée comme compactée. L'avion relie chaque point du globe à tous les autres, les trains à grande vitesse transforment les voyages d'autrefois en simples déplacements, les autoroutes (hormis durant les périodes de grandes transhumances vacancières) rapprochent des régions jadis éloignées. Dans notre tête, la mappemonde n'est plus qu'un petit ballon, même si, à titre personnel, nous n'avons pas l'occasion de voyager au long cours.

Dans les années 30, Papa, grand reporter à *L'Illustration*, partait presque chaque année pour des pays lointains. À mes yeux, il faisait figure d'explorateur intrépide, surtout quand il voyageait par les airs. Sa plus étonnante performance pour l'époque – 1935 – fut de partir par avion en Chine et au Japon, accompagné de sa femme. Les étapes aériennes couvraient environ un millier de kilomètres ; il fallait atterrir pour faire régulièrement le plein. Comme il n'était pas question de voler de nuit, on couchait chaque soir à l'hôtel dans une ville du Proche, du Moyen ou d'Extrême-Orient. Mes parents n'avaient pas osé parler à ma grand-mère, d'un tempérament notoirement anxieux, de leur aventure aérienne. Ils étaient supposés prendre le bateau de Marseille à Tokyo. Heureusement que ma pauvre Petima n'avait pas vraiment cherché à savoir ! Un soir, le téléphone sonne, une standardiste annonce : « On vous appelle de Téhéran... » (ou d'Amman ? Je ne sais plus très bien.) Ma grand-mère, férue de géographie, s'étonne : « Comment pouvez-vous appeler d'une ville qui n'est pas au bord de la mer ? Que faites-vous là ? Où est votre bateau ? » J'ignore comment les parents se sont débrouillés pour lui faire croire qu'ils se trouvaient en excursion en Perse trois jours après être partis de Marseille en bateau. L'anecdote est restée célèbre dans la famille, elle symbolisait pour nous la légende de nos parents, précurseurs des grandes migrations aériennes du siècle. Aujourd'hui, aucun enfant ne s'étonnera plus que ses parents partent en Amérique du Sud, en Chine ou au Sénégal en voyage d'affaires ou de tourisme.

Quel que soit le moyen de transport utilisé, plus rien, en temps virtuel, n'est vraiment loin de rien. Néanmoins, il faut certaines fois beaucoup de temps réel pour effectuer de très courts trajets. Récemment, revenant de Lille à Paris – une heure par le TGV –, j'ai attendu un

taxi plus de quarante-cinq minutes à la Gare
du Nord. Il m'avait fallu autant de temps pour
couvrir les deux cents kilomètres de mon
retour du Nord que pour rejoindre mon domicile, distant de quelque cinq kilomètres ! Bien
entendu, mes compagnons de file d'attente et
moi-même avons pesté comme des enragés
devant cette perte de temps. Nous avons pourtant été obligés de convenir qu'attente
comprise, nous avions encore économisé près
de la moitié du temps par rapport au même
voyage effectué dix ans auparavant.

D'ailleurs, les distances ne voulant plus rien
dire, selon le mode de transport utilisé, nous
n'évaluons plus les parcours en kilomètres,
mais en durée. Les vacanciers fidèles, les propriétaires de résidences secondaires amoureux
de leur région d'adoption, se livrent à de
savants calculs pour vous prouver que leur
paradis est tout proche. Un fan d'Ardèche précise : « Nous sommes à une demi-heure de
Montélimar en voiture ; comme le TGV met
désormais trois heures, nous comptons moins
de quatre heures de porte à porte... Ça vaut le
coup, même pour un week-end... » À condition d'avoir un taxi à la gare ! Et qui peut
s'offrir deux trajets d'une demi-heure en taxi
pour un simple week-end ? Un Britannique
inconditionnel des plages du Portugal vous

expliquera que Lisbonne est à deux heures d'avion de Londres, mais sans mentionner le prix du billet aller-retour pour lui, sa femme et leurs deux enfants. Ce qui explique qu'ils effectuent chaque été le voyage au volant du break familial : trente-six heures de route, arrêts non compris. Les évaluations de porte à porte sont d'une remarquable mauvaise foi : elles ne tiennent compte ni des prix de revient, ni des incidents de parcours[1].

Même phénomène pour les itinéraires quotidiens des banlieusards. Au moment de s'installer – généralement pour acheter un logement plus spacieux dont le prix serait inabordable en centre ville –, les futurs propriétaires se persuadent qu'ils emprunteront chaque jour les transports en commun pour se rendre à leur travail. Ils bâtissent leur avenir temporel sans prendre en compte les trajets maison/station, ni la lassitude des retours tar-

---

1. Exemples d'incidents de parcours : les embouteillages à la sortie et à l'entrée des villes, aux péages d'autoroutes, les accidents de la circulation avec déviation, les travaux sur les routes et autoroutes, les courses cyclistes, les foires et marchés dans les agglomérations traversées, les enfants qui ont mal au cœur, les arrêts-pipi, les pauses-café, les intempéries, les grèves de personnel, les retards de trains et d'avions pour des raisons aussi diverses que variées, les incidents techniques toujours « indépendants de notre volonté », les rendez-vous manqués à l'arrivée en gare ou dans les aéroports, etc. Les retards font tellement partie des voyages actuels qu'on s'étonne plutôt d'arriver à temps.

avait été située au bord de la Méditerranée, l'avion aurait divisé par dix le temps de parcours. Quant aux Irlandais ou aux Italiens émigrés sur l'autre rive de l'Atlantique, leur retour au bercail par les airs ne représente plus qu'un centième des heures jadis nécessaires à la traversée par mer.

Ayant connu depuis cinquante ans tous ces bonds en avant, je me demande parfois si les perfectionnements techniques des engins de transport vont se poursuivre avec la même ferveur sur le plan de la vitesse, ou s'il ne serait pas plus judicieux d'améliorer à présent le rapport confort/coût. Le ruban bleu de l'inconfort revient sans conteste à l'avion, la place disponible pour mettre ses jambes étant directement proportionnelle aux tarifs pratiqués. Certains charters ne peuvent asseoir convenablement que des Pygmées (et encore : à condition que lesdits Pygmées n'aient jamais besoin de se lever, d'aller jusqu'au bout du couloir, de dormir ou de se dégourdir les jambes).

Cette accélération des déplacements, ce raccourcissement des distances, cette appropriation des lieux les plus reculés de la planète, cette mobilité étonnante d'individus jadis tout à fait sédentaires, constituent l'une de tes originalités les plus étonnantes, mon cher siècle itinérant. Pas de doute : si nous avons tous la bougeotte, c'est parce que les progrès des transports nous permettent de partir sans quitter longtemps, d'aller voir ce qui se passe ailleurs sans remettre vraiment en question nos racines, puisque nous tenons encore pour la plupart à vivre auprès de l'arbre qui nous a portés....

Jacques Attali a prophétisé l'ère du nomadisme pour le prochain siècle[1] ; je ne partage pas tout à fait sa conviction. Oui, nous voyageons et voyagerons de plus en plus, mais à condition de garder un billet de retour dans notre poche. Les plus casaniers tiennent à revenir très vite, les plus entreprenants peuvent s'expatrier pour de beaucoup plus longues durées, mais avec l'absolu besoin de croire qu'ils pourront retrouver, le jour voulu, leur point de départ.

La motorisation générale de la vie privée

Pour parler franc, le début de ce chapitre sur les transports était plus anecdotique qu'historique : je n'ai pas passé toute ma jeunesse à me déplacer en voiture à cheval. Mes parents étaient suffisamment privilégiés pour posséder

---

1. *Cf. Dictionnaire du XXIe siècle*, Fayard, 1998.

dès avant la guerre une automobile[1]. Deux modèles restent gravés dans mon souvenir : une petite Rosengard professionnelle dont Papa se servait en ville pour ses déplacements de journaliste – et qu'il prêtait souvent à Maman, laquelle avait la très rare particularité d'être une « femme au volant » – et une familiale : il s'agissait d'une grosse Peugeot 400 et quelque chose, dans laquelle les parents pouvaient entasser leur marmaille (cinq enfants), eux-mêmes et les deux grand-mères quand nous partions en vacances. Elle a eu la lourde charge, en fin de carrière, de nous transporter, du Nord au Sud, pendant la débâcle, sur les routes ensoleillées de mai 1940. Elle ne s'en est jamais remise et nous n'avons plus jamais eu de voiture, jusqu'à la première 4CV.

Ayant ainsi circulé à cheval, en voiture, puis à pied, à vélo, dans les trains à vapeur et les cars à gazogène pendant les années d'occupation, puis de nouveau en auto, j'ai pu apprécier l'irremplaçable progrès que représente la motorisation générale de notre vie privée. La voiture pollue, elle tue, blesse, elle grève ter-

---

1. Parc automobile, en France, dans la première moitié du siècle : 1900 : 2 900 véhicules en circulation ; 1910 : 53 700 ; 1922 : 242 600 ; 1930 : 1 109 000 ; 1939 : 1 900 000. Aujourd'hui, on compte plus de 25 millions de voitures ; 80 % des ménages français sont propriétaires d'une voiture, contre 30 % en 1960.

riblement les finances publiques et privées, déséquilibrant le budget de millions de gens ; pourtant elle dispense à des millions d'autres des plaisirs ou des opportunités totalement ignorés des siècles qui nous ont précédés. Nous ne pouvons même plus imaginer des vies non motorisées ; nous sommes devenus des bipèdes à quatre roues, intoxiqués de kilomètres, incapables de nous cantonner dans les faibles distances de nos marches à pied[1]. Certains citadins choisissent de renoncer à un véhicule personnel ; ils utilisent néanmoins sans cesse les engins des autres : taxis, bus, voitures amicales ou familiales, ambulances, camionnettes de livraison, voitures de location, etc. Personne, dans les pays occidentaux, ne peut plus mener une vie normale en se déplaçant exclusivement à pied ou à vélo. En Chine, peut-être[2], mais pas ici ! Cet état de dépendance explique nos agacements et nos fureurs quand la machine refuse de nous servir.

---

1. 75 % des Français de dix-huit ans et plus ont leur permis de conduire, contre 63 % il y a vingt ans. Ils consacrent à l'automobile 12 % de leur budget, parcourent en moyenne 15 000 kilomètres par an. Dans les vingt dernières années, le nombre de déplacements en voiture a augmenté de 23 %, tandis que les déplacements à pied diminuaient de 35 %.

2. Pas pour longtemps, en tout état de cause. Je me suis laissé dire que les embouteillages à Pékin n'ont plus rien à envier aux nôtres !

Nous injurions nos automobiles modernes quand, de temps en temps – de plus en plus rarement –, elles nous font faux-bond. Une panne de carburateur, un pneu crevé, une batterie à plat prennent, dans nos vies sous garantie, les proportions d'une calamité. Pourtant, la fiabilité d'une voiture bien entretenue paraît miraculeuse à ceux qui, comme moi, ont connu les engins incertains de la première moitié du siècle.

L'enfer de la manivelle et du pneu crevé

La plus dangereuse des manipulations : l'usage de la manivelle, engin nécessaire et suffisant pour faire démarrer un moteur récalcitrant ; il fallait une force herculéenne pour réussir à emballer la courroie ; de plus, on était toujours à la merci du fameux « retour de manivelle », capable de briser un bras en une seconde si on ne lâchait pas la barre à temps.

Et les crevaisons ! Jusqu'aux années 70, se retrouver au bord d'une nationale avec un pneu à plat était monnaie courante. Pas question de partir sur les routes sans avoir localisé précisément le cric, la roue de secours et tout le saint-frusquin, afin de pouvoir changer de roue en cas de crevaison. Combien de conduc-

trices, incapables de mener à bien cette opération éreintante – et salissante ! –, préféraient
carrément le « pneu-stop » ! Elles trouvaient
d'ailleurs assez facilement un bénévole galant,
prêt à les dépanner et, se prenant de ce fait
pour un homme, à gloser ensuite sur l'incapacité des femmes en mécanique et en
« bagnoles » ? De nos jours, grâce à l'amélioration des pneumatiques, les crevaisons sont
devenues si rares que certains fabricants de
voitures ne fournissent même plus une cinquième roue de même qualité que les quatre
autres. La roue « de secours » n'a jamais si
bien porté son nom : elle n'est même plus une
roue « d'usage ».

Le mouvement, source de vie

J'imagine qu'à la lecture de ce chapitre sur
les transports, vous vous demandez si, tout
bien pesé, les humains n'étaient pas plus tranquilles quand ils restaient paisiblement
« auprès de leur arbre[1] » ou à l'ombre de leur
clocher. Ce mouvement perpétuel qui agite
nos contemporains présente-t-il de réels avan-

---

1. *Auprès de mon arbre, je vivais heureux... J'aurais jamais
dû m'éloigner de mon arbre...*, chantait Georges Brassens dans
les années 60.

tages ? Améliore-t-il leurs conditions de vie ? Ne les complique-t-il pas, au contraire, de façon tout à fait inconsidérée ? Les habitants des villes ne seraient-ils pas plus heureux s'ils cessaient leurs va-et-vient incessants, générateurs de pollution ? Avons-nous besoin de tant bouger pour nous sentir exister ?

Cette interrogation sur le rôle des transports dans l'équilibre existentiel de chacun est si personnelle que je ne me hasarderai pas à répondre pour vous. En ce qui me concerne, je n'ai pas la moindre hésitation : je préfère mille fois mieux trépider que stagner.Vous l'avez sans doute remarqué : je n'appartiens pas vraiment à la race des contemplatives ; pour moi, le mouvement est source et expression de vie. Plus je bouge, plus j'ai le sentiment de m'enrichir, plus j'ai de chances de me rapprocher de ceux que j'aime, plus mes activités se diversifient et se simplifient, plus les occasions d'entrer en contact avec d'autres cultures, d'autres humains, d'autres idées se multiplient. Ma bougeotte à moi se manifeste dans un très court rayon d'action, d'amplitude européenne, souvent même hexagonale ; néanmoins, je rencontre de plus en plus de gens prêts à consentir d'énormes sacrifices pour s'envoler le plus loin possible de leur pré-carré.

Grâce au transport individuel ou aux transports en commun, par route, par fer ou dans les airs, je te suis extraordinairement reconnaissante, mon siècle remuant, de m'avoir permis de profiter de milliers d'opportunités qui nous paraissent aujourd'hui aller de soi mais dont l'absence devait rendre bien morose le quotidien de nos ancêtres. Ces services rendus, ces découvertes facilitées, ces bonheurs engendrés par les prouesses de la mobilité sont si divers et innombrables qu'il est impossible d'en dresser un inventaire complet. Pourtant, en voici quelques exemples, sans hiérarchie, sans ordre, sans autre prétention qu'énumérer quelques occasions de t'adresser un clin d'œil de reconnaissance, mon siècle turbulent. Grâce à tous les engins que tu mets à notre disposition, il nous est désormais possible de :

● sauver des vies jadis condamnées. Ambulances, Samu, hélicoptères en montagne, vedettes de sauvetage en mer, etc. : à peu près toutes les urgences commencent par utiliser un moteur pour porter secours ;

● découvrir des horizons autrefois hors d'atteinte : 60 % des Français ont déjà pris l'avion au moins une fois dans leur vie ;

● briser la solitude des personnes condamnées à l'immobilité ; je songe en particulier aux visites longue-distance auprès de malades, de handicapés, de personnes âgées ;

● faire des rencontres, connaître d'autres gens que ceux qui font partie de notre premier cercle de famille ou de voisinage ;

● enrichir la vie sociale et culturelle en réunissant des gens originaires de lieux de plus en plus éloignés les uns des autres. J'ai participé récemment à une réunion de retraités d'une mutuelle agricole en Vendée : mille cinq cent participants dans la salle, près de huit cents voitures sur le parking... ;

● ménager nos forces et notre temps dans l'accomplissement des courses indispensables à la bonne marche d'une maisonnée ;

● emmener les enfants avec soi, leur faire partager nos distractions et nos découvertes, leur apprendre la diversité d'un pays, de l'univers ;

● aller chercher ailleurs des joies de vivre dont on ne dispose pas forcément ici (un peu plus de soleil ou, au contraire, un peu moins de chaleur ; du calme, du silence, ou, à l'inverse, la foule et la fête, etc.) ;

● rendre visite à qui nous plaît, fausser compagnie aux importuns...

Je m'arrête là : à chacun de poursuivre cette recherche positive en l'adaptant à son cas personnel. Pour la liste des méfaits, reportez-vous à vos médias habituels : ils sont intarissables sur les nuisances de la pollution, les accidents de la route, les avions qui se « crashent », les trains bondés, les dégâts causés par les infrastructures à l'environnement. Ils ont raison de nous inciter à la discipline et à la modération. Il n'empêche : la liberté de mouvement est une drogue dont il n'est pas facile de se désintoxiquer. C'est bien beau de préconiser la bicyclette pour tous, encore faut-il avoir des genoux vaillants et vivre dans un plat pays. Amsterdam ne peut servir de modèle à Rome ou à Barcelone !

Une fois listés avantages et inconvénients, faites le bilan et concluez. Si vous êtes un tant soit peu de bonne foi, vous remercierez comme moi ce siècle baladeur de nous avoir ouvert la cage. Grâce à lui, nous avons chaussé des bottes de cent « lieues »[1]. Donc de cent « lieux »..., diraient certains psychanalystes fervents déchiffreurs de nos lapsus.

Cette mobilité représente un des réels plaisirs de la vie moderne. Il en est bien d'autres qui nous sont devenus si familiers que nous n'y prenons presque plus garde. Mille petits plaisirs inconnus ou réprouvés dans les temps

---

1. Une lieue = 4 kilomètres environ. Les bottes peuvent aisément être de cinq cents lieues quand on traverse l'Atlantique en Concorde.

qui t'ont précédé font désormais partie de nos habitudes. Grâce à toi, mon siècle déculpabilisateur, nous sommes même parvenus à transformer les vilains péchés de jadis en satisfactions bien méritées. Au reste, même non méritées, on aurait bien tort de s'en priver !

Chapitre VI

Les avancées
du bien être[1]

Jadis, la vie n'était pas faite pour être agréable ; d'ailleurs, elle l'était rarement. Saint-Just s'en est rendu compte bien avant moi, quand il affirmait à la fin du XVIIIᵉ siècle : *Le bonheur est une idée neuve en Europe.* Si neuve que, deux siècles plus tard, la recherche systématique des petits bonheurs n'a pas encore très bonne réputation dans une société qui a du mal à faire la transition entre le culte exclusif des valeurs professionnelles et sociales et la montée en puissance du temps libre.

---

1. L'auteur signale que l'absence de trait d'union entre « bien » et « être » est ici délibérée de sa part.

Jusqu'à tes débuts, mon siècle amateur de jouissance[1] et de récréation, mis à part quelques aristocrates bons vivants, non conformistes, dotés dès leur naissance d'une solide fortune foncière et d'une nombreuse domesticité, les gens passaient sur Terre des moments rudes et courts. Tous ceux qui, comme moi, aiment cette garce de vie, ses enchantements fugitifs, ses bouffées de joie, ses éclairs de plaisir, ses élans de tendresse, ses satisfactions matérielles ou intellectuelles, peuvent remercier le destin d'être nés sous tes auspices. Tu nous a fait découvrir que le « bon temps » n'est pas un péché, qu'il n'y a pas de mal à se faire du bien ! Avant toi, on n'avait guère de loisirs, mis à part le dimanche, pas de moments de répit, mis à part les repas et le sommeil, pas de petites ni de grandes vacances, mais pas de retraites, pas de congés de maternité, pas de journées récupérables, pas de congés maladie, etc.

---

1. Cela me fait personnellement très plaisir d'écrire ce mot dans un de mes livres avec une connotation positive. Pour ma mère, traiter quelqu'un de « jouisseur » était une injure grave. Elle n'utilisait ce mot que comme un synonyme de libidineux, dévoyé, dévergondé, amoral, etc. Les Québécois emploient couramment le verbe « jouir » dans son sens étymologique de « prendre de la joie ». *Ça me fait jouir = Ça me fait plaisir.* Ce sont eux qui ont raison.

Le farniente sentait le soufre

Quand nous nous plaignons de nos conditions modernes d'existence, du stress, du
manque de temps, de la fatigue, nous avons
certes raison, mais par rapport à l'avenir. Le
combat pour une vie meilleure est un idéal
générateur de progrès ; pour avoir envie
d'aller vers le lendemain, il ne faut jamais
renoncer à le souhaiter plus chantant que l'aujourd'hui. En revanche, au chapitre de nos
revendications, nous aurions tort de nous réfé-
rer aux faits et gestes du passé comme critères
du bien vivre. N'oublions pas que, pour les
générations qui nous ont précédés, toute activité non directement destinée à « gagner son
pain à la sueur de son front », à « assumer ses
devoirs vis-à-vis de sa famille », à « gagner
son paradis dès ici-bas... » paraissait suspecte.
Le farniente, les distractions sans but utilitaire,
les satisfactions gratuites, la recherche du
confort physique et de la détente psychologique, surtout chez les femmes, sentaient le
soufre ! Mieux valait tricoter, ravauder et broder que rêvasser ! « Ne perds pas ton temps...
Fais quelque chose de tes dix doigts... Ne reste
pas à bâiller aux corneilles... L'oisiveté est
mère de tous les vices... » Il me suffit d'écrire

ces injonctions à l'hyperactivité pour réentendre distinctement la voix de ma mère fustigeant une paresse ou un laisser-aller qu'elle-même ne s'autorisait jamais. Bien que n'ayant jamais été soumise à la rigueur d'un emploi du temps rémunéré, elle s'obligeait à des journées de travail bien plus longues et contraignantes que les temps de présence des salariés actuels. Son sens du devoir et du sacrifice lui imposaient des horaires plus rigoureux que n'importe quelle horloge pointeuse.

N'oublions pas que, dans un pays comme la France, la première loi réglementant le temps de travail date seulement de 1900. C'est la loi Millerand qui organisa en quatre ans le passage à la journée de dix heures. Dix heures par jour, six jours par semaine, cinquante-deux semaines par an[1] ! Il a fallu toute ta durée, mon siècle, ô combien plus social que ses prédécesseurs, pour autoriser légalement la majorité des Européens à « décrocher » en fin de semaine, à oublier au moins trente jours par an leur environnement professionnel[2] et à profiter

---

1. Le repos dominical n'a été imposé par la loi qu'en 1906.
2. En France, la loi accordant les deux premières semaines de congés payés date de 1936 ; 1956 : trois semaines ; 1969 : quatrième semaine ; 1982 : ordonnance accordant la cinquième semaine.

un peu de la vie avant de se reposer pour l'éternité.

Trois fois plus de temps libre

Nous sommes si gâtés dans notre vécu contemporain que nous ne parvenons même plus à imaginer ce que pouvaient être les conditions de vie de nos aïeux, Européens moyens, prisonniers, de l'enfance au tombeau, d'horaires de travail inhumains et d'obligations domestiques surhumaines. Mon propos n'est pas ici d'aborder dans le détail les progrès intervenus dans les conditions de travail et la législation sociale. Impossible, cependant, de ne pas associer temps disponible et qualité de la vie. Or ce temps libre – donnée autour de laquelle s'organisera sans doute bien davantage encore la vie sociale et privée au siècle prochain –, nous en disposons d'ores et déjà de plus en plus[1]. Deux chiffres en apportent la preuve :

---

1. En Europe, en additionnant congés payés et jours fériés, les congés légaux, en nombre de jours, sont les suivants, (dimanches non compris) : Allemagne : 40 ; Belgique : 38,5 ; Espagne : 38 ; Luxembourg : 37 ; France : 36,5 ; Danemark : 35 ; Grèce : 35 ; Portugal : 35 ; Italie : 33,5 ; Pays-Bas : 32,5 ; Grande-Bretagne : 31 ; Irlande : 29.

● avec l'allongement de la vie, le prolonge-
ment des études dans la jeunesse et le droit à la
retraite, le temps libre est désormais trois fois
plus long que le temps de travail, si l'on considère l'ensemble d'une vie ;

● chez les « actifs » citadins, le temps libre
représente un tiers du temps éveillé, soit, au
cours d'une vie, trois heures quarante par jour
pour les hommes et deux heures cinquante
pour les femmes (une fraction de ce temps
n'est disponible qu'à compter de la retraite).

Malgré cette progression du temps affranchi
de toutes contraintes, où l'on peut faire ce que
l'on veut en toute liberté, nous sommes, en ce
domaine, d'éternels insatisfaits. Les deux tiers
des Français considèrent qu'ils n'ont pas
suffisamment de temps libre, surtout les
hommes actifs (66 %) qui se plaignent plus
que les femmes (59 %). Plus étonnante encore,
la plainte de deux catégories sociales non sou-
mises au temps contraint par une activité professionnelle : les retraités (40 % disent manquer de temps libre !) et les chômeurs (45 %)[1].
Cette insatisfaction s'explique si l'on admet
que le temps libre ne se conçoit pas seulement
comme une alternative au travail, mais comme

---

1. « La longue marche vers le temps libre », enquête de
L'Observateur, Cetelem, 1998.

l'addition de moments durant lesquels on peut exprimer et réaliser ses aspirations individuelles[1]. À l'évidence, cette réorganisation du temps sera un enjeu fondamental de la société future. En ce domaine du temps choisi par chacun et non imposé à tous, tu as permis, mon siècle précurseur, les premières conquêtes ; tes successeurs devront parfaire cette réévaluation du temps de vivre.

Le week-end a transformé la vie

Sans vouloir jouer les douairières, je me souviens qu'au début de ma carrière de journaliste, dans les années 50, nous allions encore au journal toute la journée du samedi. Quand nous avons bénéficié du samedi après-midi, notre profession a été considérée comme privilégiée ; beaucoup d'autres n'avaient pas cette chance. Puis, dans les années 60, le

---

1. Que font les Français pendant leur temps libre ? 89 % passent du temps avec leurs amis ou leur famille ; 72 % ont des contacts avec la nature ; 62 % se consacrent à leur logement (bricolage, décoration...) ; 59 % regardent la télévision ; 54 % lisent des livres ; 53 % se consacrent à l'éducation de leurs enfants et petits-enfants ; 41 % font du sport ; 40 % font du jardinage ; 36 % ne font rien ; 34 % ont des activités culturelles ; 34 % voyagent ; 31 % se consacrent aux autres ; 23 % fréquentent un club ou une association (non sportifs) ; 20 % participent à la vie de leur commune ; 19 % ont des activités artistiques (peinture, musique). Enquête nationale Cetelem, octobre 1997.

week-end « à l'anglaise » a été accordé à la rédaction : deux jours consécutifs de repos complet. Notre vie en a été transformée. Chaque fin de semaine, j'exultais à l'idée de me retrouver deux jours pleins à la maison avec les enfants. Deux matins sans obligation de réveil aux aurores et de cavalcade : quelle avancée pour les parents salariés ! Malheureusement, l'Éducation nationale s'est cramponnée à son emploi du temps à l'ancienne, si bien que parents et enfants ne bénéficiaient pas des deux mêmes matinées de *cocooning* ! Depuis cinquante ans, débats et discussions se poursuivent sur ce sujet ; depuis cinquante ans, des millions de câlins et de loisirs communs se perdent. Des moments de tendresse ou d'activités partagées dont les jeunes enfants ont pourtant si besoin !

Comme elles ont de la chance, les familles anglaises, allemandes, danoises, voire les familles françaises aisées qui peuvent supporter la charge financière d'études dans le privé : elles ne connaissent pas les samedis matins des parents privés de grasse matinée pour mettre leurs écoliers en route.

L'hygiène n'était pas au rendez-vous

Le repos du sixième jour, en sus du septième, est vraiment une de tes inestimables conquêtes, mon siècle redistributeur du temps de vivre. Quand le dimanche était la seule aire de repos, la lutte pour la survie usait les corps, épuisait les énergies, laissait trop peu de temps pour se réjouir ou se distraire. En premier lieu, tous et toutes travaillaient énormément, sans relâche, tant que la tâche à accomplir l'exigeait et que la lumière du jour le permettait. À la fin de ces longues journées de labeur et d'obligations, chacun aspirait à un repos bien gagné. Toutefois, le confort et l'hygiène n'étaient pas au rendez-vous de la détente.

J'imagine que nos aïeux devaient, comme nous, apprécier ce pur instant de béatitude où l'on s'allonge enfin dans un lit en pensant qu'on l'a bien mérité. Pourtant, les chambres devaient être humides et froides à la mauvaise saison, les lits manquaient de la souplesse de nos sommiers et matelas actuels, les draps ne se changeaient pas bien souvent[1]. Sous les chemises de nuit rugueuses, les odeurs personnelles n'enchantaient sans doute pas les narines. Décidément, mon siècle hédoniste,

---

1. *Cf.* les difficultés de la lessive, chapitre II...

j'apprécie le confort de ma chambre à coucher, l'ineffable plaisir de trouver le sommeil entre un drap et une couette bien propres, après m'être lavée et brossé les dents.

Ah, la propreté, quel luxe jadis ! Quel plaisir aujourd'hui ! Avant toi, mon siècle devenu plus attentif à la toilette, une profonde saleté caractérisait les êtres humains et leur environnement. Je n'ose imaginer olfactivement les cours des rois ou des princes où, à toutes les époques, courtisans et belles dames s'aspergeaient de parfums pour tenter de vaincre leurs odeurs *sui generis*. Oui, je sais, ce n'est pas très ragoûtant, mais je dois à la vérité historique de mentionner la crasse enfouie sous les brocards et les perruques pour mieux faire apprécier, par contraste, la netteté de nos contemporains. Jadis, la notion d'hygiène corporelle n'effleurait même pas les esprits ; ces quelques notations puisées dans *L'Histoire de la vie privée*[1] donnent la mesure de cet incroyable laisser-aller :

De la fin du Moyen Âge au milieu du XVIIIᵉ siècle, la netteté se passe pour l'essentiel de l'eau, elle ignore le corps, à l'exception du visage et des mains qui en sont les seules

---

1. Article de Jacques Revel sur « Les usages de la civilité », Tome III de *L'Histoire de la Vie privée, de la Renaissance aux Lumières*, Éditions du Seuil, 1987.

parties montrées. Les soins se concentrent sur le visible, le vêtement et surtout sur le linge dont la fraîcheur ostentée au col et aux poignets est le véritable indice de propreté. Ce dispositif est inséparable d'une représentation du corps qui rejette l'eau comme un agent dangereux susceptible de pénétrer partout. La toilette doit donc être "sèche" ; elle s'identifie à l'essuyage et au parfum... Lorsque, dans les années 1740-1750, l'eau fait un spectaculaire retour dans les techniques de la propreté, elle devient sans doute l'indice de nouvelles distinctions sociales...

Les progrès de la propreté furent très lents

Les progrès de la propreté corporelle ont été très lents entre les XIXe et XXe siècles. Il a fallu attendre ta seconde moitié, mon siècle promoteur de la salle de bains, pour voir s'instaurer cette particularité de l'époque moderne : les ablutions quotidiennes et systématiques telles que la majorité des Occidentaux les pratiquent désormais. Au début, le mérite de la propagande en faveur d'une certaine propreté revient à la médecine. Pour lutter contre les microbes dont ils craignaient si fort la contagion au sein du groupe familial[1], les médecins « hygiénistes » prodiguent des conseils de salubrité privée. Ils encouragent la toilette corporelle. Mais très prudemment, car la nudité, surtout dans les pays catholiques, est considérée comme génératrice de « mauvaises pensées[2] ». Très longtemps, devant leur table de toilette équipée d'un broc à eau, d'une cuvette, parfois d'un bidet en émail posé sur un trépied de métal, les femmes se sont lavées en chemise, n'imaginant pas de le faire dans le plus simple appareil ni devant leur homme, ni même face à leur image renvoyée par le miroir.

Quant aux enfants, ils ne disposaient souvent que de la paillasse de la cuisine pour se débarbouiller avant de partir pour l'école, ce qui rendait leur toilette plus que sommaire. À l'arrivée à la communale, les instituteurs passaient souvent la revue de mains et de frimousses avant l'entrée en salle de classe. Les souillons subissaient la honte d'être envoyés aux lavabos pour ne pas maculer leurs livres et cahiers avec leurs mains noires. Cette action

---

1. Voir chapitre premier.
2. « Mauvaises pensées » : expression employée, au fil des siècles et jusqu'à très récemment, par les éducateurs « bien-pensants » pour désigner les convoitises ou pulsions à caractère sexuel. Ah, comme je te suis reconnaissante, mon siècle, d'avoir admis que de telles pensées sexuées ne sont pas forcément « mauvaises » !

en faveur de la propreté s'arrêtait à la figure et aux mains ; les pieds étaient à l'abri des inspections : hélas pour l'atmosphère des gymnases quand les séances de culture physique se déroulaient en chaussettes ! Mon odorat n'a pas oublié cette très spécifique odeur qu'on ne retrouve plus guère, de nos jours, que dans certains refuges de montagne, les soirs d'orage, quand on ne peut pas mettre les bas de randonnée à dormir dehors !

Du débarbouillage...

Il n'est pas nécessaire de remonter très loin en arrière pour prendre la mesure du changement intervenu. Dans ma propre famille, il a fallu trois générations pour que le récurage général et quotidien devienne la norme :

1) Ma grand-mère se « débarbouillait » vaguement le matin. Pour le reste, de temps à autre, elle se frottait le corps avec un gant de toilette imbibé d'eau de Cologne. Elle en achetait des litres dans les grands magasins, en février, au mois de la Parfumerie qui succédait au « Blanc » de janvier. Je ne me rappelle pas l'avoir vue utiliser régulièrement la baignoire et je suis certaine qu'elle ne se douchait jamais. Elle se lavait les cheveux environ une

fois par mois avec du jaune d'œuf et de la camomille, à condition qu'il ne fasse pas trop froid. Elle était en effet persuadée que le fait de se mouiller la tête mettait sa santé en danger. J'ai réalisé plus tard que, dans sa jeunesse, les casques des coiffeurs pour dames et les séchoirs à cheveux n'existaient pas ! Enfin, elle concoctait elle-même sa crème de beauté, qu'elle appelait « Crème jolie » : dans une petite casserole, elle faisait fondre des produits mystérieux achetés chez l'herboriste. Elle était toujours poudrée, mais ne se maquillait pas. Sa devise : *Ciel pommelé et femme fardée sont de courte durée...*

2) Ma mère prenait un bain par semaine, le samedi ou le dimanche, bien qu'elle nous ait appris à nous baigner tous les soirs – sauf pendant la guerre où le poêle à sciure de bois ne suffisait pas à préparer de grandes quantités d'eau chaude ! Maman se lavait le visage, les mains et les dents chaque jour, mais pas forcément deux fois par jour. Elle utilisait des crèmes de beauté et du rouge à lèvres, ignorait le mascara et le maquillage des yeux qui donnait, selon elle, « mauvais genre ». La douche lui était étrangère, bien que Papa en fût un adepte inconditionnel, même à l'eau glacée pendant les rudes hivers des années quarante. Je ne sais pas pourquoi, pendant si longtemps,

les hommes étaient pratiquement les seuls à se doucher. Souvenirs de la caserne ou des vestiaires sportifs ? Habitude plus répandue d'exhiber leur nudité et de fréquenter celle des autres garçons ? À la génération de mes parents, même les heureux propriétaires d'une salle de bains ne songeaient pas à installer systématiquement une douchette pour se rafraîchir ou se laver commodément les cheveux. Je nous vois encore, mes sœurs et moi, nous rincer longuement la tête sous des brocs d'eau – sans oublier le vinaigre dans la dernière eau. Le milieu du siècle fut l'âge d'or des coiffeurs : les jeunes femmes prirent l'habitude de vivre nu-tête[1] et de se couper les cheveux. Les mises en plis et les « indéfrisables », les colorations n'étaient pas encore d'un emploi assez simple pour qu'on puisse se dispenser des soins d'un Figaro. Beaucoup de femmes de ma génération passaient régulièrement « sous le casque ». Les brushings, la grande diffusion des produits capillaires ont tout changé. Comme beaucoup de gestes de bien-être et d'attention corporelle, la visite chez le coiffeur est devenue plus souvent un plaisir qu'une nécessité.

---

1. Chapeaux, fichus et coiffes furent, au cours des siècles, autant de moyens de cacher des cheveux pas toujours propres ni coiffés !

3) Pour les générations actuelles, se laver ne constitue plus une décision plus ou moins fréquente selon les individus, mais un geste indispensable au bien-être, comme de manger ou de dormir. Les adultes n'imaginent plus d'entamer leur journée sans être passés sous la douche, ni de se mettre au lit le soir sans s'être bichonnés dans la salle de bains.

Bien sûr, tout le monde n'est pas « nickel » : il arrive que l'on subisse de temps à autre, dans les lieux publics, des voisinages désagréables aux narines. Dans les mégalopoles, le métro à six heures du soir ne fleure pas toujours la rose[1]. Beaucoup d'ados passent par des périodes de négligence volontaire, refusant les règles d'hygiène que leurs parents ont pris tant de peine à leur inculquer. Néanmoins, mis à part quelques boutonneux négligés et certains crasseux congénitaux, l'ensemble de la société se lave, se récure, se frotte, se parfume, se désodorise, se shampouine avec une régularité remarquable. Le confort ménager y est pour beaucoup ; les progrès de la parfumerie/hygiène ont joué également leur rôle. Merci à cette industrie et à la

---

1. Bien que je trouve personnellement que les choses se soient considérablement améliorées dans les dix dernières années. Comme dans beaucoup de lieux publics, les méthodes de purification de l'air ont également fait beaucoup de progrès.

société de consommation d'avoir banalisé à ce point la propreté en inventant, fabriquant, publicisant et vendant partout, dans les magasins les plus populaires, des produits qui nous permettent d'être propres et de sentir bon sans nous ruiner[1]. Tous les jours, je ne dis pas, mais très très souvent, j'éprouve une sorte de jubilation à sentir l'eau couler sur ma peau, la mousse s'accumuler sous mes doigts, les effluves de mon eau de toilette se répandre autour de moi. Un petit plaisir que je te dois, mon siècle frais et net !

Veiller sur soi avec tendresse

J'insiste sur ces avancées de l'hygiène et de la cosmétique parce qu'elles représentent, à mes yeux, la preuve incontestable d'une mutation assez récente des mentalités : la reconnaissance de notre corps et de nos sens comme source autorisée, sans cesse renouvelée, d'énergie et de satisfactions.

---

1. Chiffre d'affaires de l'industrie cosmétique à travers le monde : 360 milliards de francs, dont 20 % pour les seuls parfums. Chiffre d'affaires en France : environ 30 milliards, dont 35 % pour les produits de beauté, 25 % pour les produits capillaires, 22 % pour les parfums, eaux de toilette (2/3 femmes, 1/3 hommes), 18 % pour les produits de toilette (savons, bains moussants, etc.). Près de la moitié des ventes ont lieu dans la grande distribution.

Attention, cependant : la diffusion planétaire d'une image idéalisée de la beauté, toujours plus mince, toujours plus parfaite, toujours plus inaccessible à la quasi-totalité des individus normaux, peut transformer cette incitation au bien être en provocation au mal être. Parfois, le culte de la forme débouche sur l'autopersécution. Certains individus – des femmes en particulier, plus menacées que les hommes par le terrorisme de l'éternelle jeunesse et de la minceur famélique – s'imposent des régimes de famine, torturent leurs muscles, épuisent leurs forces, retaillent leur visage ou leur silhouette pour se conformer à un idéal esthétique véhiculé par les médias. Sur ce point, mon siècle promoteur d'une vie harmonieuse et saine, tu nages en pleine contradiction. On ne peut pas tout à la fois prêcher le plaisir et organiser le martyre ! Le droit de chacun/chacune à tirer le meilleur parti de sa morphologie sans forcément se conformer à des archétypes, reste à promulguer. Nous ne nous aimons sans doute pas encore assez pour nous aimer tels que nous sommes !

Pour traverser agréablement une petite centaine d'années avec un seul et même organisme, une seule et même peau, toujours les mêmes muscles, nos innés et nos acquis si difficiles à gérer, il convient de veiller sur soi, cette personne à la fois unique et compliquée, avec une qualité de tendresse et d'attention que l'on réservait naguère aux autres. La vie est désormais trop longue pour que nous nous contentions de survivre. Pour améliorer notre long séjour, nous devons apprendre à compter d'abord sur nous-mêmes. Tous les psy martèlent désormais la même recommandation : aimez-vous, faites-vous plaisir, soyez votre meilleur(e) ami(e), entretenez votre équilibre et votre désir de vivre ! Vous pourrez ensuite faire partager à votre entourage les bienfaits de ces autosatisfactions.

L'optimisme est accusé d'égocentrisme

Mettre en pratique cette célébration de l'*ego* n'a pas été si évident pour nous qui avons reçu en héritage, dès notre enfance, la bonne vieille culpabilité judéo-chrétienne, cultivée dans nos contrées depuis quelque deux mille ans. L'attitude consistant à nous montrer gentils envers nous-mêmes au lieu de nous faire la guerre comme à un ennemi de l'intérieur n'est pas encore complètement entrée dans nos mentalités ni dans nos mœurs. Le bonheur n'a pas chez nous très bonne réputation, l'optimisme est accusé d'irresponsabilité, la jouissance petite ou grande n'occupe pas encore la place qu'elle mérite, les satisfactions osent à peine se vivre et s'exprimer au grand jour. La souffrance, l'adversité, le malheur ouvrent droit à la considération sociale, le sacrifice et l'austérité ont encore valeur d'exemple, le pessimisme est largement publicisé. Gare à ceux qui ne partagent pas les angoisses millénaristes de ta fin tourmentée, pauvre siècle dont on omet ou conteste les avancées et les acquis pour le bien-être de tous en ne rendant public que le malheur bien réel des plus défavorisés. Alors qu'admettre que sa propre vie est plutôt belle n'empêche nullement de porter secours aux moins vernis, bien au contraire !

Ce culte contemporain du pessimisme me scandalise. Non seulement je ne crois pas aux vertus de la mélancolie généralisée, mais j'affirme que seuls les optimistes ont la force et l'envie de chercher, trouver et appliquer des solutions pour sortir des difficultés personnelles ou collectives. Si tout le monde était malheureux tout le temps, la société se bloquerait, verserait dans l'anarchie, ou accepterait de se soumettre à plus fort qu'elle. La somme des désintérêts particuliers n'a jamais contribué à faire progresser l'intérêt général. Quand on déprime, on ne peut faire que ça : c'est une occupation à plein temps. Plus rien ne semble vraiment important, hors son propre désarroi. Englué dans sa détresse, on ne cherche même plus le moyen d'en sortir, encore moins de porter secours à plus malheureux que soi. Qui tente de soulager les souffrances d'autrui ? Certainement pas les grands dépressifs, obnubilés par leurs idées noires.

Non, je le proclame, il ne faudrait pas avoir honte d'aimer la vie ! Seuls les gourmets savent régaler leurs convives aux banquets de la table comme à ceux de la vie. Je ne suis pas du tout sûre qu'il faille vivre caché quand on est heureux, comme mes contemporains seraient enclins à le faire...

Le *cocooning* est né avec les crises

La passion contemporaine pour la possession, l'embellissement, l'aménagement, la décoration des chez-soi prend sans doute racine dans ce désir de dissimuler son bien être. À l'abri des maisons, on s'offre des voluptés discrètes. Plus question, comme aux siècles passés, d'« éclabousser » son voisin avec ses avoirs ou ses privilèges. Le *cocooning* est né avec les crises. Plus le monde extérieur est rude ou hostile, plus le confort de l'intimité prend de la valeur.

En matière d'art de vivre, mis à part les
progrès ménagers dont nous avons déjà longuement parlé, nous te devons, cher siècle féru
d'embellissements, mille agréments quotidiens jadis réservés aux riches et aux puis-
sants. Il a toujours existé des fauteuils rembourrés[1], des cadres raffinés, des jardins
fleuris, des tables bien mises, des tableaux, des
tapis, des vases, des lustres et des meubles en
bois précieux. Cependant, ces intérieurs
soignés, cette recherche esthétique, les notions
modernes de « décoration » et de « *design* »
ne concernaient qu'une petite poignée de privilégiés. Pour un château somptueux, combien
de misérables chaumières ? Pour un apparte-
ment bourgeois, combien de logements inconfortables dépourvus de toute harmonie ? Pour
le commun des mortels, les maisons devaient
répondre à des impératifs de survie et de
commodité, les jardins participer à la subsistance en fournissant légumes et fruits à bon
marché. Rien à voir avec notre quête d'esthétique et d'agrément. Même les installations les
plus cossues de jadis nous sembleraient

---

1. Les sièges rembourrés arrivent en tête des achats de mobilier (22 %) devant les chambres-à-coucher (17 %), les salles-à-
manger (16 %), les cuisines (16 %), les meubles d'appoint
(11 %), la literie (10 %), les salles de bains (3 %). In *Tendances
98*, par Gérard Mermet, Larousse.

aujourd'hui d'un insupportable inconfort. Avez-vous jamais réfléchi qu'avant l'époque moderne, la quasi-totalité des gens passaient leur vie, leurs repas, leurs soirées, leurs instants de détente comme leurs moments de lecture et de réflexion sur des bancs de bois ? Quelle redoutable mortification pour leurs postérieurs !

D'accord, jusqu'à toi, mon siècle, les gens mouraient jeunes, ils ne subissaient donc pas aussi longtemps que nous les rappels à l'ordre de leurs corps endoloris, ces vieilles douleurs, professionnelles ou sportives, que nous dorlotons dans nos douillets chez-nous. Les dos malmenés n'attendent pas le nombre des années pour avoir besoin de ménagements. Les forces de nos ancêtres, mises à l'épreuve par la rudesse du monde extérieur, les lourdes tâches quotidiennes, la dureté des conditions de vie, auraient mérité plus de prévenances, leurs fesses plus d'indulgence, leur fatigue plus de commodités.

Quand on compare nos baraques d'aujourd'hui aux bicoques d'hier, des palais présidentiels aux squats du quart monde, il faut bien reconnaître que nos aïeux, à tous les niveaux de la société, étaient beaucoup plus mal logés que nous !

La citoyenneté commence par un chez-soi

Désormais le canapé trois-places, les placards de rangement, le linge coloré, les rideaux aux fenêtres s'inscrivent parmi nos besoins de première nécessité. Nous voulons trouver en rentrant chez nous un lieu de détente et de récupération, un havre sûr où abriter notre cellule humaine, un abri contre les aléas de la météorologie et de l'économie. Les sans-logis, même s'ils parviennent à gagner leur vie, se considèrent à juste titre comme les véritables damnés du temps présent. Dans notre pays, mieux vaut chômer sous un toit que travailler à la rue ! La citoyenneté commence par la possibilité d'être quelque part chez soi.

Je me souviens d'un reportage paru dans le *Nouvel Observateur*[1] sur Nathalie, une chômeuse du Nord-Pas-de-Calais, photographiée avec ses enfants, son mari, son chien et son perroquet sur un gros canapé de cuir fauve. Militante au sein d'une association contre la précarité, elle justifiait lucidement son « salon » (le fameux canapé et deux fauteuils clubs assortis), acheté d'occasion pour 7 500 francs grâce à un crédit bancaire. Elle

_____
1. N° 1731, janvier 1998.

touchait 2 200 francs par mois et reconnaissait avoir tout sacrifié au confort de sa maison. Téléviseur grand écran, cuisine intégrée, elle avait fait du mobilier son idéal de vie : « Une semaine à la mer, c'est de l'argent qui part en fumée. Les meubles, au moins, on les garde ; c'est la preuve que l'on avance dans la vie... Quand on vient chez moi, je n'ai pas à rougir. C'est une question de dignité... » Faute de ressources en fin de droits, elle risquait de ne plus pouvoir payer les traites de son paradis. Cette idée la révoltait. Il y avait un contraste saisissant entre la « misère » de sa situation professionnelle et le « luxe » de son cadre de vie. Une disparité de plus en plus intolérable aux générations qui n'ont jamais connu la rudesse et la frugalité des époques précédentes.

Grâce à toi, mon siècle d'Ikea et de Bricorama, des jardineries et des moquettes en synthétique, nous avons appris à bichonner notre décor, à pomponner nos intérieurs, à raffiner nos habitudes, à veiller sur notre environnement privé. Les femmes mais aussi de plus en plus d'hommes se passionnent pour les tendances de la « mode déco ». Un objet, une gamme de coloris, des photos-souvenirs, un meuble de famille, un papier peint, un bouquet de fleurs : chacun/chacune souhaite imprimer à son univers personnel une touche d'originalité. Pour lutter contre l'uniformisation des blocs d'immeubles ou la standardisation des banlieues pavillonnaires, les goûts et les couleurs se discutent et se diversifient. La multiplication des magazines de décoration reflète cet engouement.

Dans un pays comme la France où 55 % des logements sont des maisons individuelles, où plus de la moitié des gens sont propriétaires de leur logement, comment ne pas reconnaître les satisfactions que procure le confort moderne ? Ce n'est pas « naturel » d'être bien logé, c'est ruineux et compliqué ; c'est néanmoins une chance formidable. Demandez plutôt aux « ex-Soviétiques » ce qu'ils pensent de nos conditions d'habitation, eux qui n'ont pas encore acquis le droit d'héberger une seule famille par toit et qui doivent souvent partager cuisine et toilettes avec d'autres familles dans les appartements « communautaires » !

La lumière transforme la vision

Avant de refermer la porte de nos maisons, je voudrais te remercier tout particulièrement, mon siècle lumineux, pour la clarté dans laquelle il nous est désormais possible de vivre. De même que mon odorat se trouve bien en ta compagnie, ma vue se réjouit de notre cohabitation. Plus elle m'a posé de problèmes, plus tu t'es décarcassé pour lui apporter de la lumière.

Tout le monde n'a pas les mêmes besoins d'intensité lumineuse, certains s'accommodent volontiers des demi-teintes ; une atmosphère entre chien et loup les apaise. D'autres redoutent la mélancolie de la lumière qui baisse quand le jour décline. J'appartiens à cette deuxième catégorie. Est-ce parce que j'ai connu le clair-obscur des années de guerre ? Souvent privés d'électricité, il fallait allumer les lampes à pétrole quand la nuit tombait. J'avais à l'époque des yeux perçants ; pourtant, je me souviens encore des zones d'ombre qui me gênaient pour faire mes devoirs, le soir venu. Ma mère et ma grand-mère posaient leurs ouvrages ; il arrivait à mon père de replier son journal pour ne pas fatiguer ses yeux. « Je ne peux plus enfiler mon aiguille... Je n'arrive plus à compter mes mailles... Ce n'est pas ma vue qui baisse, mais mes bras qui ne sont plus assez longs... » Impossible de coudre, de tricoter, de lire dans une pièce à demi obscure ; le manque d'éclairage peignait en gris les activités les plus simples. On se cognait, trébuchait, ratait des marches dans les

escaliers, on se coupait ou se brûlait dans le
flou des fins de journée. On avait un peu peur
aussi ; on se sentait plus souvent mélancolique, car le noir n'incite guère à la joie.

C'est pourtant vrai qu'on n'y voyait goutte,
dans les salles de séjour de mes parents. Les
suspensions diffusaient une lueur indirecte et
blafarde, les plafonniers ne comptaient jamais
assez de watts pour éclairer les recoins. Quant
aux lampes, on les affublait d'abat-jour
sophistiqués et opaques qui leur ôtaient les
trois quarts de leur puissance. Même si la lueur
des bougies ou la pénombre avantagent la
beauté des femmes, estompent les rides ou les
traits fatigués[1], je préfère l'éclat de la lumière
vive aux clairs-obscurs de jadis.

Au tableau d'honneur de l'éclairage, mention spéciale pour l'avènement, dans les
années 80, des lampes à halogène. Cette
invention, venue des Pays-Bas, due aux ingénieurs de Philips, a littéralement illuminé nos
soirées et nos nuits. L'hiver n'est plus tout à
fait aussi long depuis qu'un simple lampadaire
suffit à chasser le noir d'une pièce entière.

---

1. Sans doute est-ce pour faire plaisir à leurs clientes, sou-
cieuses de leur *look*, que les restaurants, surtout aux États-Unis,
servent toujours à dîner dans la semi-obscurité. Quelques bougies
ou un quinquet par table permettent à peine de discerner ce qui se
passe dans son assiette.

Encore une preuve de la rapidité avec laquelle, mon siècle vulgarisateur de progrès, tu as su passer, pour certains produits manufacturés, de la rareté et du luxe au bon marché et à la grande diffusion. Signe distinctif des *golden boys* friqués, les premiers halogènes valaient des fortunes[1] ; en quelques années, ils ont vu leurs prix chuter de façon vertigineuse. Je ne sais même plus comment lire un magazine, faire des mots croisés, travailler sur un manuscrit sans ces auxiliaires irremplaçables pour mes cristallins de presbyte. Halogène et Varilux : un alliage performant pour ne jamais éloigner son regard de la vie. Je m'estime extraordinairement favorisée par le destin de ne pas voir le monde se voiler autour de moi en avançant en âge.

L'insécurité a toujours existé

Démontrer qu'il fait meilleur vivre « dedans » aujourd'hui qu'hier n'a pas été très ardu. En revanche, cela va l'être davantage de vous convaincre des progrès du « dehors ».

---

1. Leurs prix oscillaient entre 3 000 et 4 000 F, dépense déraisonnable pour une simple lampe. Actuellement, on trouve, en grandes surfaces, des lampadaires à halogène aux alentours de 300 à 400 F. Le prix a donc été divisé par dix en dix ans.

« Cette ville est devenue Chicago... On ne peut plus se promener dans les rues sans manquer de se faire agresser... La pollution rend l'atmosphère irrespirable... Chaque fois qu'on traverse, on met sa vie en danger... » Nous connaissons tous la litanie du mal-être urbain ; grâce aux écologistes, l'opinion et les pouvoirs publics ont commencé à en prendre conscience.

Nous nous plaignons de l'insécurité ; nous avons peur, la nuit, dans les rues ; chaque jour, des passants sont victimes d'incidents graves. Les personnes âgées craignent de se faire suivre quand elles vont faire leurs commissions ; beaucoup de femmes n'osent plus descendre seules dans les parkings souterrains ; des bandes d'adolescents brûlent des voitures, pillent des centres commerciaux ; de tout jeunes enfants saccagent des maternelles... Chacun de nous pourra compléter la liste des dangers citadins en citant des méfaits perpétrés dans son quartier, sa cité. Les informations régionales, la presse départementale, les conversations chez les commerçants locaux s'en font largement l'écho. L'insécurité vient tout de suite après le chômage dans l'ordre des préoccupations de l'opinion..

À force de dénigrer systématiquement les conditions de vie urbaine, on oublie que les villes d'antan présentaient mille fois plus de dangers et d'inconvénients. Elles étaient sales, obscures, inconfortables et dangereuses. Les « faubourgs » de jadis n'avaient guère plus de charme que les « cités » d'aujourd'hui. Croyez-vous qu'il faisait bon vivre aux abords de la Cour des Miracles ? Sur les fortif', si l'on tenait plus à sa bourse qu'à sa vie, on se faisait trouer le ventre d'un coup de surin. Les voleurs à la tire qui délestaient, au Moyen-Âge, les passants de leurs pièces d'or, ont simplement changé de nom ; ils se nomment désormais pickpockets. Ces quelques précisions sur la délinquance des enfants aux XIVe et XVe siècles donnent à réfléchir sur la pérennité des fléaux liés à la pauvreté :

Malgré les associations de bienfaisance, essentiellement urbaines, la pauvreté s'accroît ; pour prendre un exemple sans doute généralisable, il existe alors à Lyon 40 % d'habitants en situation de précarité et 10 % de pauvres ne vivant que d'aumônes... Parmi ces pauvres, une frange tombe dans le vagabondage et la mendicité. Pour survivre, leurs enfants se comportent en prédateurs.C'est tout le problème déjà de l'enfance délinquante[1].

---

1. Quand je vous dis que notre cher siècle n'a rien inventé en la matière !

*[...] En 1324, un enfant anglais de cinq ans,
pris à voler de la laine en la cachant dans son
chapeau, meurt d'une claque trop violemment
appliquée par une marchande en colère. Les
autorités ne manquent pas d'arrêter les petits
voleurs reconnus. Que leur arrive-t-il alors ?
Ils sont mis en prison et fouettés, à l'exemple
de trois jeunes enfants de Châlon qui avaient
volé de l'argent, ou d'un petit « coupeur de
bourses » de neuf ans, exerçant ses talents aux
Halles de Paris. C'est le vol à la tire, une spé-
cialité de petits garçons aux gestes prompts et
à la course rapide*[1]...

Toutes les études historiques le soulignent :
la délinquance n'est pas une création du
monde moderne, mais la sœur jumelle de la
pauvreté. Les boulangères n'ont jamais été à
l'abri des brigands résolus à leur dérober leur
caisse ; petites filles et jeunes garçons ont toujours représenté des proies exposées à la
concupiscence des pédophiles ; les personnes
âgées se sont de tout temps barricadées chez
elles à la tombée du jour. Il ne s'agit pas ici,
mon siècle au casier judiciaire chargé, d'excuser tes fautes, mais de souligner ton héré-
dité. Tes ancêtres étaient au moins aussi dan-

---

1. *Les enfants au Moyen Age, V^e-XVe siècle*, par Danièle
Alexandre-Bidon et Didier Lett, collection « La Vie quoti-
dienne », Hachette.

gereux que toi, si ce n'est plus. En dépit des risques potentiels qu'elles nous font courir, je préfère, le soir, marcher seule dans les rues bien éclairées, bruyantes et polluées de nos cités, qu'un « soir de demi-brume à Londres » au temps de Jack l'Éventreur !

Les avancées de l'environnement extérieur

L'éclairage public, le ramassage des ordures, le lavage des chaussées, l'entretien du mobilier urbain, le fleurissement des villes et des villages, l'aménagement des espaces verts, la protection des arbres, le soin apporté à l'environnement extérieur à notre foyer ont accompli, à l'instar de notre confort intérieur, des avancées considérables. Même si nous pestons parfois contre le sans-gêne des abandonneurs de canettes vides ou des balanceurs de sacs McDo, nous échappons aux immondices qui envahissaient les villes et les villages de nos ancêtres. Dans le temps, la pollution n'était pas dans l'air, elle stagnait et pourrissait par terre, partout. Dans son *Histoire des hommes et des ordures*[1], Catherine de Silguy décrit ainsi l'état des villes d'autrefois :

---

1. Le Cherche-Midi éditeur, 1996.

*« Gare l'eau ! », « Gare dessous ! »
criaient les habitants des cités médiévales
avant d'expédier sans façon leurs ordures et
excréments par les portes et les fenêtres.
Malgré les injonctions constamment réitérées
de l'administration, cette coutume se perpétua
fort longtemps ; elle est évoquée par Zola dans
son roman* La Terre*... Jusque vers 1950, dans
certaines villes françaises comme Marseille
ou Saumur, des ménagères vidaient par les
fenêtres leurs ordures et seaux hygiéniques
afin de s'épargner la corvée de les amener
chaque matin sur le trottoir... Quant aux
berges de la Seine, elles offraient un spectacle
désolant : le fleuve, encombré de détritus de
toutes sortes (légumes, cheveux, cadavres
d'animaux, etc.), était d'un aspect répugnant ;
une vase grise, dans laquelle s'engluaient ces
débris organiques, s'accumulait le long de la
rive ; elle était « le siège d'une fermentation
active qui se traduit par des bulles de gaz
d'une dimension souvent considérable*[1]* ».*

Reste le problème contemporain de la
pollution de l'air par la circulation automobile.
Cet empoisonnement-là n'existait pas aux
siècles passés, et pour cause. Les gaz d'échap-

---

1. L'auteur cite ici J. Brunfaut, *Assainissement de la ville de Paris*, 1880.

pement des voitures à chevaux n'ont jamais étouffé les asthmatiques ! Tu as fait preuve en ce domaine, mon siècle irrespirable, d'une négligence éminemment coupable. Pour ne pas chagriner les constructeurs de voitures ni les électeurs-automobilistes, à Mexico comme à Athènes, à Strasbourg comme à Los Angeles, tu as laissé l'atmosphère des villes se dégrader au point de mettre la santé des plus faibles en péril et le bien-être de tous en question. Il n'est plus temps de réparer ta négligence, mais au moins as-tu eu l'honnêteté de reconnaître tes erreurs. « Péché avoué, m'a-t-on appris dans mon enfance, est déjà à moitié pardonné »... Eh bien non, je ne te pardonne pas les enfants privés de récréation dans la cour des maternelles les jours d'alerte 3, ni les bancs publics où il faut éviter de se bécoter au ras des pots d'échappement. Les plus beaux jours de l'année, les plus doux soirs d'été, tu nous prives d'une faculté dont nous n'avions même pas imaginé qu'on pourrait un jour nous la retirer : la liberté de respirer !

Tu vois, je ne suis pas totalement partiale ; quand quelque chose ne va pas, je suis la première à dénoncer tes négligences ou tes erreurs ! Il n'empêche : je me félicite tous les jours, et même plusieurs fois par jour, d'avoir accompli l'essentiel de mon parcours dans les

cent dernières années de ce deuxième millénaire qui va bientôt finir. Il ne s'agit pas seulement de mon destin personnel ; je me réjouis
également d'avoir mis mes enfants au monde
en leur offrant tant d'occasions de bien-être.
Ils n'ont pas toujours la vie facile, mais qui l'a
eue avant eux, qui l'aura après eux ? Leurs
propres enfants ? Espérons-le. En tout cas, ils
ne pourront pas se plaindre de leurs jeunes
années : plus je regarde mes petits-enfants
pousser, plus je me dis qu'ils ont beaucoup de
chance d'être nés dans un monde où ils ont
presque tous les droits, et d'abord celui d'être
reconnus comme individus à part entière.

Chapitre VII

Les chances de l'enfance

Une de mes belles-filles est enceinte jusqu'aux dents. Je trouve très courageux de sa part de m'accueillir ce soir-là à dîner, si peu de jours avant son accouchement. Avant de nous mettre à table, mon fils allume le poste de télévision et glisse une cassette dans le magnétoscope : « Nous avons quelque chose à te montrer... » L'image tremblote quelque peu ; au début, je ne discerne pas très bien cette masse claire qui bouge au centre de l'écran. Tout à coup, une émotion indicible m'étreint : la chose qui s'agite, c'est mon futur petit-fils ! Il suce tranquillement son pouce à la télévision sous les yeux attendris de ses futurs parents et sous mon regard éberlué de future grand-mère. Pas encore né, il est déjà parmi nous. L'émotion est si forte que nous ne trouvons rien à dire. Je verse au moins deux larmes. Faire ainsi la connaissance d'un enfant avant sa naissance, entrer dans le secret de la vie qui bat dans le corps d'une autre : jamais je n'oublierai l'intensité d'une telle rencontre.

Je crois, mon siècle innovant, que cette cassette d'échographie prénatale restera dans mes souvenirs comme l'archétype de ce que tu nous donnes de plus en plus souvent l'occasion de vivre : un cocktail inédit, déroutant, passionnant, dans lequel entrent ce qui relève de la pérennité de la condition humaine et les potentialités des technologies de pointe. À l'évidence, il faut toujours neuf mois pour faire un enfant, comme au temps des cavernes il y a deux millions d'années ! En revanche, aucun de nos ancêtres n'aurait pu imaginer que l'humanité serait un jour capable de tout savoir, tout comprendre, tout voir, tout entendre d'une vie encore en gestation, et que les futures mères seraient invitées à suivre en images chaque étape de la croissance intra-utérine de leur bébé. Le miracle reste, le mystère n'existe plus.

Montaigne n'aimait pas les nourrissons

Tout ce qui gravite autour de la naissance et de la petite enfance a pris à notre époque une valeur inconnue dans le passé. Les faits et gestes du fœtus sont l'objet de recherches approfondies. On accorde au nourrisson une attention déterminante pour le reste de sa destinée. L'éveil du bébé fascine les adultes qui veillent sur lui. Le petit est non seulement protégé, entouré, aidé, mais respecté dans ses besoins et ses droits en tant qu'individu. Le docteur Lyonel Rossant[1] appelle cette nouvelle discipline la « bébologie ». Pour illustrer l'ampleur du chemin parcouru en quatre siècles, il cite Montaigne : *Je ne puis recevoir cette passion de quoi on embrasse les enfants à peine encore nés, n'ayant ni mouvement de l'âme, ni forme reconnaissable au corps par où ils se puissent rendre aimables*[2]... Montaigne était un homme, catégorie d'individus qui n'éprouvent pas forcément une attirance congénitale pour les nouveau-nés ! Est-ce une raison suffisante pour dénier à l'enfant qui vient de naître toute valeur physique et intel-

---

1. *Votre enfant. Guide à l'usage des parents*, par les docteurs Lyonel Rossant et Jacqueline Rossant-Lumbroso, Éd. Robert Laffont, Paris, 1987.
2. *Essais II, De l'affection des pères aux enfants.*

lectuelle ? Personne de nos jours n'oserait faire preuve d'un tel manque de considération envers un nourrisson, même à l'égard d'une crevette prématurée !

Malheureusement, cette attention, cette compréhension envers l'enfance ne se prolongent pas toujours jusqu'à la majorité. Au moment de l'adolescence, nos sociétés hyperconscientes de leurs devoirs envers les petits perdent leur enthousiasme éducatif à l'égard des plus grands. Les parents savent de mieux en mieux tenir la main des celles/ceux qui apprennent à marcher ; ils ne manifestent pas la même assurance quand il s'agit d'indiquer le chemin aux hésitants de la puberté. Pour montrer la voie, encore faut-il savoir où l'on va. Qui, aujourd'hui, peut s'aventurer à décrire les lendemains probables – ou même souhaitables – pour les jeunes qui auront le XXIe siècle comme terrain de vie ? Ah, comme je voudrais être sûre qu'en 2099 mon arrière-petite-fille[1] – ou mon arrière-petit-fils, je ne suis pas sexiste – puisse avoir l'envie d'écrire

---

1. Je pense qu'elle/il aura près de 80 ans à ce moment-là, car nous avons une manie dans notre famille : celle qui consiste à naître des années marquant la fin d'une décennie et le début de la suivante, et ce, tous les trente ans. Ma mère est née en 1900, moi en 1930, un de mes fils en 1960, une de mes petites-filles en 1990. Sur le lot de mes petits-enfants, il y en aura sûrement une/un qui se débrouillera pour avoir un enfant en 2020.

et de publier un livre qui s'appellerait *Merci, mon siècle* ! Comparant sa qualité de vie à l'existence combien moins facile et enrichissante de son arrière-grand-mère, elle/il se féliciterait d'être né au bon moment et souhaiterait qu'en 2199, son arrière-petit-fils (ou arrière-petite-fille), puisse éprouver, à son tour, l'envie d'écrire un livre pour remercier le XXIIe siècle de... etc.

Mieux vaut être enfants que parents

Revenons ici et maintenant. Les découvertes de la psychanalyse, les progrès de la pédiatrie, l'étude systématique des comportements, relations, apprentissages et blocages enfantins – de 0 à 15/16/18/20/25/30... ans[1] – n'ont pas toujours facilité la tâche des parents et des éducateurs. Les adultes ont perdu bien des certitudes et bien des avantages jadis attachés au statut de géniteurs ou de pédagogues. La malédiction de Freud est venue

---

1. Sait-on jamais, dans la société d'aujourd'hui, jusqu'à quel âge se prolongent l'adolescence et la post-adolescence ? Si l'on accepte l'idée qu'un être humain ne devient pleinement adulte que le jour où il peut gagner sa vie, former un couple indépendant et assurer l'éducation de ses propres enfants, je connais beaucoup d'individus de plus de 30 ans qui ne répondent pas à ces critères. Je ne porte pas ici de jugement sur cette prolongation indéfinie du premier tiers-temps de la vie, je la constate.

relayer celle de la Genèse : ils n'enfantent plus dans la douleur, mais éduquent dans la culpabilité ! La bonne conscience, la main leste, l'autorité indiscutable, la disposition d'une main-d'œuvre corvéable à merci, une assurance-subsistance pour les vieux jours : toute une batterie de droits jadis reconnus aux grandes personnes se trouvent désormais contrebattus par les besoins prioritaires des enfants. Il n'est pas simple, mon siècle juvéno-contestataire, de mener à bien nos tâches éducatives depuis que tu nous as abreuvés des théories de Spock, Piaget ou Dolto ! Nous devons tourner notre langue dans notre bouche un nombre de plus en plus considérable de fois, ou carrément la mettre dans notre poche pour ne pas risquer de traumatiser ces êtres remarquables et compliqués que nous avons pris la responsabilité de mettre au monde.

Il faut bien l'admettre : le contrôle des naissances – et son corollaire, la parentalité volontaire – ont absolument tout changé dans les relations éducatives. L'enfant imprévu, imposé par le destin, l'enfant de plus, l'enfant de trop, tous ces envahisseurs non désirés de la vie d'hommes et de femmes pas toujours consentants vis-à-vis de leurs destins de parents, ces enfants du hasard ne pouvaient être entourés de la même tendresse, des mêmes attentions, des mêmes égards, des mêmes avantages qu'un enfant désiré, planifié, conçu dans la joie, attendu dans le partage des sensations et des émotions.

Nos chérubins te doivent, cher siècle du planning familial, d'avoir trouvé leur place, pris le pouvoir et gagné leur liberté à tous les stades de leur développement. Ah, la belle vie que la leur dans nos sociétés occidentales ! Comparés aux enfants du reste du monde[1], nos mômes sont des seigneurs dont les parents sont les vassaux volontaires et ravis. Toutes les étapes de leur parcours se déroulent dans des conditions exceptionnelles.

Avant la naissance : le fœtus superstar

Dès son premier frémissement, le fœtus est traité comme une star ! On lui parle, on le caresse, on lui fait écouter de la musique, on se préoccupe de sa conscience intra-utérine. Pendant quelques mois, ce personnage minuscule

---

1. Selon des estimations officielles émanant d'organismes comme l'ONU, l'UNICEF ou le BIT, plus de 250 millions d'enfants entre 5 et 14 ans travaillent de par le monde. Parmi eux, 150 millions exercent une activité économique à plein temps. La Conférence d'Oslo d'octobre 1997 a dénoncé cette exploitation des enfants et tenté de définir une stratégie mondiale pour la combattre.

tient une place tout à fait considérable et privilégiée dans la vie de sa logeuse et de son
compagnon. Ce récit d'une visite d'un jeune
couple chez l'obstétricien illustre mieux que
toutes les théories ce nouvel art de vivre pré-
natal[1] :

Elle [la future maman] *s'est allongée. Il* [le
médecin] *lui a demandé : « Où est votre bébé ?
Où le sentez-vous ?... Bon, je vous demande de
placer vos mains sur votre ventre, une ici au
niveau de l'ombilic, l'autre là, au-dessus de la
symphyse pubienne. Voilà, ne faites rien : simplement sentir, être avec votre bébé. Ayez des
mains très tendres pour votre bébé... »*

*Il lui a montré comment elle pouvait inviter
son bébé à monter « sur son cœur ». Puis il lui
a appris à inviter le bébé à descendre...*

*Les yeux ouverts, sans effort, visage sou-
riant, elle l'a accompagné, j'ai vu* [c'est le
futur père qui raconte] *une ondulation, un
mouvement imperceptible, et j'ai senti le bébé,
sous sa main, affleurant doucement.*

*Puis il a placé mes mains sur le ventre de
mon amie, des mains « légères comme des
antennes », l'une en haut, l'autre en bas :*

---

1. Extrait de *Neuf Mois dans la vie d'un père*, du docteur Bernard This, InterÉditions, 1994.

« Ne faites rien, soyez là ensemble... Et maintenant, invitez de nouveau votre bébé à venir là-haut... sur votre cœur. Oui ! Voilà, il est monté, vous le sentez ? »

Comment ne l'aurais-je pas senti ?... Nous étions bouleversés...

Jadis, les hommes n'étaient pas invités ainsi à participer aux prémices de leur destin de pères. Ils en étaient même systématiquement exclus, tenus à distance de ces « histoires de bonnes femmes » qu'étaient, dans l'esprit de tous, la grossesse et la mise au monde. Au moment de l'accouchement, par exemple, les pères n'avaient que le devoir de marcher de long en large dans le couloir, en se bouchant les oreilles pour ne pas entendre les cris de douleur de la parturiente. Ce n'est qu'une fois tout terminé que l'homme avait enfin le droit de s'enquérir du sexe du bébé et de l'état de santé de sa mère. Cette dernière pouvait mourir en couches – ce qui arrivait hélas trop souvent – sans que personne ait l'idée de faire entrer son mari. Sans doute voulait-on épargner aux géniteurs des émotions trop fortes, beaucoup d'hommes supportant mal la vue du sang !

Jeune femme, j'ai accouché ainsi deux fois, à l'ancienne, dans la déroute physique et la solitude affective. Quoique de la plus haute compétence en obstétrique, l'équipe médicale qui m'entourait ne se souciait strictement pas de mon supplice ni de mes angoisses : « Allons, petite madame... Faites un effort... Allez, allez, un peu de courage... Allons, poussez... Donnez-vous un peu de mal... » Un peu de mal ! Comment pouvait-on employer une expression pareille devant une femme au paroxysme de la souffrance ? Les sages-femmes croquemitaines avaient le cuir tanné. Elles étaient persuadées d'assister des jeunes mauviettes qui se réfugiaient dans les cris au lieu de faire face à la douleur. Elles se sentaient le devoir de les houspiller[1]. Vous étiez là pour mettre bas, pas pour gueuler fort. Écartelée par la douleur, je n'aurais certes pas voulu que le père de mes enfants me voie en proie à

---

1. La plupart des sages-femmes étant mères, elles auraient dû se souvenir des douleurs abominables provoquées par les contractions et l'expulsion. Cependant, comme toutes les femmes « oublient » très vite ces instants de souffrance (la meilleure preuve en est qu'il existe des familles de plusieurs enfants !), les sages-femmes avaient la mémoire courte et montraient peu de pitié. Les plus « énergiques » étaient les religieuses qui, d'une part ignoraient l'intensité des douleurs ressenties, et d'autre part les approuvaient puisqu'il avait été dit il y a très longtemps, de façon impérative, que les femmes enfanteraient dans la douleur. Il paraît que de nos jours encore certaines parturientes refusent non seulement la péridurale, mais la moindre bouffée de calmant pour se conformer à cette loi divine. Héroïsme ou sectarisme ? Chacune jugera !

ce cataclysme physique et moral qui me faisait hurler, incapable de me dominer.

La préparation à l'accouchement « sans douleur[1] », puis la péridurale, l'assistance du père dans la salle de travail ont révolutionné ce moment primordial de la condition humaine. Grâce à toi, mon siècle qui a eu pitié de la malédiction des femmes, l'enfant vient désormais au monde en présence de ses deux parents unis dans un calme et un effort partagés. Dès les premières secondes de son existence, il met ainsi un maximum de chances de son côté. Certes, il restera toujours des pères à l'ancienne, des papas-coqs, pas poules pour deux sous, mais ils n'ont plus la cote. Dès leur éclosion, les poussins bi-couvés ont plus de chances que les autres de prendre un jour leur envol.

Au berceau : la libération du bébé

Regardez quelques minutes un bébé couché dans son berceau : s'il ne dort pas, ses jambes

---

1. Honnêtement, il n'était pas absolument « sans douleur », plutôt avec douleur contrôlée par une meilleure information et une technique respiratoire adaptée. Haleter au lieu de hurler permet de souffrir « avec » plutôt que de souffrir « contre ». D'ailleurs, l'expression scientifique était « accouchement psychoprophylactique ».

bougent sans arrêt, ses mains également. Ce n'est pas pour rien que les pyjamas des tout-petits s'appellent des « gigoteuses ». Comme les autres petits mammifères, le bébé humain a besoin de mouvement pour se développer harmonieusement. Songez maintenant que, pendant des siècles, on a emmailloté, entravé, littéralement paralysé les membres inférieurs de ces tout-petits. On croyait que les langes bien serrés leur feraient de belles jambes, bien droites. Sur certains tableaux de l'École flamande, je me souviens même d'avoir vu des nouveau-nés dont les bras aussi étaient raidis par des bandelettes de tissu. Quelles frustrations devaient endurer ces pauvres paquets ! J'ai encore entendu proférer ce genre de sottises dans ma jeunesse. Dans une école de puériculture où, jeune fille, j'ai suivi des stages par passion des tout-petits, on nous apprenait à les emmailloter énergiquement, comme des ballots rigides. Si, entre deux changes, les langes se défaisaient, par suite des gesticulations d'un bébé très remuant, la maladroite était réprimandée. On lui conseillait de faire preuve d'un peu plus de poigne en tendant le tissu, puis en plantant ses épingles de nourrice. Pauvres petiots, combien de fois n'avaient-ils pas la peau du ventre ou des cuisses piquée, percée, griffée par ces maudites épingles

doubles ? Surtout les premiers-nés. Le Velcro[1]
a retiré des mains inexpertes des primipares
ces instruments dangereux.

Nous avons déjà vanté les mérites des
changes complets du point de vue des
mamans : ils réduisent à l'extrême les corvées
de lessive[2]. Plaçons-nous maintenant du point
de vue des bébés ; les couches jetables ont
révolutionné leur bien-être fessier et leur sécurité. À l'abri des inondations, changés beaucoup plus souvent que par le passé, les petits
derrières se sentent infiniment plus à l'aise et
rougissent moins systématiquement. De plus,
les mamans multiplient ainsi les « rapproprie-
ments », donc les occasions, pour le bébé, de
se sentir manipulé, cajolé, lavé, caressé, aimé.
Les occasions aussi de donner de la voix pour
réclamer un petit coup à boire en ayant toutes
chances d'être exaucé. Sur ce point également,
les plus récentes théories de la puériculture
avantagent le bébé : fini les horaires rigoureux,

---

1. Le Velcro – de *velours* et *crochet* – a été inventé en Suisse
par Georges de Mestral (1907-1990). Le brevet fut déposé en
1951, mais il fallut quelques années encore pour que le procédé
de fabrication industrielle soit tout à fait au point. Le *Livre mondial des inventions* estime que le Velcro compte parmi les cinquante inventions les plus importantes du siècle. C'est également
ce que pense mon petit-fils Martin qui refuse de porter des chaus-
sures à lacets, procédé obsolète dont il ne maîtrise pas la mani-
pulation.
2. Voir chapitre II.

les tétées ou les biberons à heures fixes ; il
suffit de piquer une belle colère pour faire rou-
vrir le bar !

Vraiment, il fait bon être bébé dans tes bras,
mon siècle psychologue et permissif. Tu as
cherché à comprendre ce qui se passe dans les
petites têtes, tu as découvert qu'on peut parler
aux marmots avec les mêmes mots qu'entre
grandes personnes, tu as instauré un vrai
échange entre la parole des grands et l'écoute
des petits. Françoise Dolto a été le chantre de
cette attitude nouvelle, révolutionnaire, qui
rassure par la tendresse sans se préoccuper,
comme jadis, de donner de « mauvaises habitudes » :

Ce qu'il faut, conseille Dolto, *c'est encourager les mères à tenir le plus souvent possible
leur enfant contre leur corps. Quand elles ne
peuvent pas le faire, qu'elles leur parlent,
qu'elles les approchent le plus près de l'en-
droit où elles travaillent, qu'elles les bercent
quand ils pleurent. Il n'y a aucun intérêt à
laisser un enfant pleurer... Il ne faut pas non
plus le laisser crier tout seul. Il faut qu'il
entende une voix qui le comprend. Il doit
entendre qu'on lui parle sur un ton très gentil,
très calme. On peut lui dire par exemple : « Eh
bien, tu as mal au ventre, mon pauvre petit... »
Des choses comme ça, toutes simples... Il ne*

faut jamais lui dire : « Tais-toi ! » en hurlant.
Car alors l'enfant se taira, mais il aura encore
plus d'angoisse à ne pas pouvoir la manifester
pour se soumettre au désir de sa mère[1]*...*

Redouter le silence d'un enfant : voilà un concept résolument moderne, après tant de siècles où le propre de l'éducation consistait à s'efforcer par tous les moyens de le faire taire !

La petite enfance : le droit à la parole

« Tiens-toi droit et tais-toi... », « Mange et tais-toi... », « Travaille et tais-toi... », « Marche et tais-toi... », « Allez vous coucher et je ne veux plus rien entendre... ». Au cours des siècles, parents et éducateurs ont eu pour principe de proférer leurs injonctions en double : un ordre à exécuter, et motus bouche cousue ! La base essentielle de leur autorité consistait à réduire leur subordonné au silence. Seul comptait le discours des adultes, les enfants n'avaient pas droit à la parole. L'école, l'armée, beaucoup d'entreprises industrielles ont longtemps préconisé cette stratégie du

---

1. *Lorsque l'enfant paraît*, Le Seuil, 1977.

monologue coercitif s'adressant à des interlocuteurs muets.

Dire qu'en ce qui concerne les petits enfants
les choses ont bien changé serait une litote.
Tout foyer familial comptant des moins de
quinze ans vit en cette fin de siècle dans une
cacophonie permanente. Dès qu'ils acquièrent
les rudiments du langage, les bambins
prennent la parole et la gardent. Ils ne la lâche-
ront plus jusqu'au grand mutisme de l'adolescence. Oserai-je suggérer que, parfois, cette
prise de parole des enfants passe les limites des
décibels tolérables ? À table, par exemple, on
est passé en cent ans de : « Les enfants ne
parlent pas à table... » à « Quand les enfants
dînent avec nous, leur mère et moi n'essayons
même plus d'avoir une conversation... Les
pauvres chéris ont tellement de choses à raconter après leur journée de classe... Nous atten-
dons qu'ils soient couchés pour nous parler. »

Le contraste entre les niveaux sonores des
repas d'hier et d'aujourd'hui ne vaut pas seulement à domicile ; dans les cantines scolaires,
le raffut atteint des sommets. Quand je me
souviens de mes déjeuners au réfectoire,
rigoureusement sans un bruit (sauf quelques
velléités de fous rires vite réfrénées par un
regard noir de la surveillante), je me dis qu'il
doit quand même être plus gai d'être un mini-

convive en jean et en libre-service qu'un demi-pensionnaire d'hier en blouse grise devant ses betteraves obligatoires...

À table : la modération contre l'obésité

À propos des déjeuners à l'école, quel contraste entre la tambouille des premières cantines scolaires et les menus actuels, équilibrés, variés, affichés à la porte des écoles pour que les parents puissent accorder les repas du soir aux plats du midi. Certains groupes de restauration collective vont même jusqu'à proposer le choix entre plusieurs plats afin qu'aucun convive de la cantine ne puisse repousser son assiette sous prétexte qu'il a horreur du chou-fleur ou qu'il déteste les lentilles.

Nos grand-mères qui nous obligeaient à finir notre soupe et à ingérer des endives cuites seraient bien étonnées – peut-être même un peu offusquées – de voir leurs descendants dicter leurs menus le matin avant de partir pour l'école. « Ce soir, je veux des frites avec un steack haché.... Des spaghettis avec du poulet... Une pizza, mais sans poivron... Des coquillettes avec du jambon.... Du poisson

pané avec du ketchup[1]. » Les mamans d'aujourd'hui ont l'échine plus souple que leurs
propres mères. Elles ont appris à transiger sur
un certain nombre de principes jadis intan-
gibles. Pour ne pas dégrader l'atmosphère des
repas familiaux et respecter les *desiderata* des
convives enfantins, il leur a fallu admettre
que :

● les petits ne mettent plus obligatoirement
une serviette autour de leur cou. Bien qu'a-
depte d'une certaine décontraction, je n'arrive
pas à comprendre cet abandon. Où est l'avan-
tage de sortir de table couvert de sauce tomate
ou de crème au chocolat ?

● un dîner ne commence pas forcément par
de la soupe ;

● ceux qui n'aiment pas un plat, *après*
l'avoir goûté, ne sont pas obligés d'en manger.
Il est souvent très difficile d'obtenir d'un
enfant qu'il expérimente des mets inconnus.
Conseil très avisé d'un médecin : *Pour les plus*
petits, il n'est pas nécessaire de les compli-
menter quand ils mangent bien ou beaucoup.
Mieux vaut garder ces « flatteries » pour les

---

1. Les *desiderata* alimentaires des moins de dix ans sont toujours les mêmes. Seul change l'ordre dans lequel leurs envies
sont exprimées. Ils ne comportent *jamais* de légumes cuits. Pour
éviter les conflits, beaucoup de parents se déchargent de cette responsabilité sur les cantines.

premiers essais de saveurs nouvelles qui aident à en faire des gourmets, et pas des obèses[1] ;

● tout le monde ne mange pas forcément la même chose. Les progrès de l'industrie agro-alimentaire permettent de préparer plusieurs plats différents selon les goûts et l'âge des convives. Les préférences de Papa ne font plus la loi ;

● il ne faut forcer personne à avaler tout ce qu'il y a dans son assiette quand il n'a plus faim. Pendant des siècles, les enfants ont été trop maigres quand ils étaient pauvres, trop gros quand ils avaient les moyens de manger à leur faim et même au-delà. La diététique contemporaine brime les instincts nourriciers des mères et grand-mères, mais s'efforce de préserver la bonne santé des enfants !

● toujours dans le même esprit de modération : on ne force pas un enfant à finir son pain ; on l'autorise à prendre du dessert même s'il n'a pas mangé tout son plat principal ; on lui permet de quitter la table quand il n'a plus faim, même si les parents n'ont pas tout à fait terminé eux-mêmes leur repas, etc.

---

1. Conseil du professeur Jean-Claude Coleau dans un charmant livre de recettes trois étoiles pour les « trois ans » : *La cuisine de Pauline*, par André Genin, Éditions First, 1997.

Une telle liberté alimentaire était impensable avant toi, mon siècle promoteur de la diététique pour tous ; l'ambiance autour de la table familiale s'en trouve grandement décontractée. À condition, bien entendu, de ne pas verser dans l'anarchie du grignotage sucré, la déstructuration des repas, la dictature des fast-foods, le laxisme qui autorise chaque enfant à se nourrir n'importe quand, n'importe où, n'importe comment, en mangeant n'importe quoi.

Plutôt suralimentés que sous-alimentés

Il paraît que l'obésité menace gravement les générations d'enfants actuels dans les pays occidentaux. L'abondance n'est certes pas toujours synonyme de bien-être en matière alimentaire, et les enfants résistent mal à l'abondance sucrée. Je vais peut-être choquer, mais, tout bien pesé, je considère comme un rare privilège de vivre dans une société préoccupée par la suralimentation des bambins. Il suffit d'imaginer l'inverse pour s'en convaincre. Comment des adultes peuvent-ils supporter de voir des enfants torturés par la faim, perdre peu à peu leurs forces vitales sans pouvoir leur apporter ces aliments de base qui leur permet-

traient d'échapper au rachitisme et à la mort ?
Quand la télévision montre les images d'une
famine qui sévit sur d'autres continents, les
regards de ces enfants hâves brûlent l'écran. Il
n'y a pas si longtemps, quelques siècles à
peine, ici aussi les enfants mouraient de faim.
Nous devrions nous le remémorer quand nous
gémissons sur la dureté des temps ! Il reste
d'ailleurs dans nos pays quelques cas inadmis-
sibles d'enfants sous-alimentés, souffrant de
malnutrition : l'ensemble du corps social doit
se mobiliser pour leur porter secours.

Les avancées de la lutte contre la faim ont
été considérables durant les cinquante dernières années. Je me souviens qu'au milieu du
siècle, tous les futurologues prédisaient que la
population indienne serait décimée par la
famine avant l'an 2000. Aujourd'hui, l'Inde
compte presque un milliard d'habitants[1], sa
population devrait dépasser celle de la Chine
au XXIe siècle. Les découvertes en agronomie
l'ont sauvée de la disette. Puisque l'Asie peut
le faire, pourquoi l'Afrique n'y parviendrait-
elle pas à son tour ? Souhaitons qu'au siècle
prochain les famines puissent être considérées,

---

1. La démographie galopante de l'Inde pose certainement problème. Il faut néanmoins reconnaître que ce milliard d'hommes
parvient tant bien que mal à se nourrir grâce à une agriculture
modernisée.

au même titre que les invasions barbares, les guerres de religions, les conflits coloniaux, les révolutions sanglantes, comme des phénomènes appartenant à l'Histoire de l'humanité mais ne devant plus avoir cours au troisième millénaire. Si certaines cultures transgéniques permettent de nourrir à leur faim tous les enfants de la planète, et s'il est démontré qu'elles ne font courir aucun risque à moyen et long terme, va pour cette nouvelle technique ! Il y a toujours des peureux pour dénigrer et empêcher tous les progrès scientifiques. Oublient-ils que, malgré les engrais, les vaccins, les micro-ondes, l'industrie chimique, l'électricité nucléaire et compagnie, notre espérance de vie n'a cessé de progresser ? Ainsi que notre état de santé et celui de nos enfants ? Toute innovation comporte des risques ; dès lors qu'ils sont tolérables et réversibles, il convient de les mesurer, de les limiter, de les contrôler sans pour autant arrêter toute marche en avant.

Comme je voudrais être petit écolier dans les écoles actuelles ! Surtout à la maternelle. Je ferais des dessins, des barbouillages avec de la peinture. On m'encouragerait à « m'exprimer ». Je participerais à des sorties pédagogiques dans les bois ou les musées. Je mangerais des crêpes à la Chandeleur et fêterais l'anniversaire de mes petits camarades. Je n'aurais pas peur de la maîtresse qui m'embrasserait le matin en m'accueillant sur le seuil de la classe au lieu de me faire mettre en rang au-dehors en attendant la cloche.

L'âge de raison : la conquête du savoir

Plus grand, au cours préparatoire, je serais obligé de fournir un peu plus d'efforts pour acquérir des rudiments de connaissances. Mais je ne disposerais pas seulement de livres et de cahiers pour m'apprendre à lire et à écrire.Tout un matériel pédagogique serait mis à la disposition de ma curiosité. Avec un peu de chance et un professeur d'école dynamique (comme il y en a énormément), je saurais dès le cours élémentaire me servir d'un ordinateur. Je ne connaîtrais pas les punitions vexantes et répétitives comme de copier cent fois « Je ne dois pas parler en classe... » ou « Il ne faut pas copier sur sa petite camarade[1]. » Au moins une

---

1. Je n'ai pas choisi ces deux phrases au hasard. Elles sont restées gravées à jamais dans ma mémoire après les avoir effectivement reproduites à cent exemplaires du temps où j'étais à l'école communale dans mon village cauchois. Au reste, madame, je n'ai jamais copié sur la petite fille assise à côté de moi ; à sa demande je vérifiais sur son cahier la justesse du résultat de son problème. Mais je n'ai jamais osé faire part à la maîtresse de ma version des faits.

fois au cours de ma scolarité primaire, je partirais en classe de nature (mer ou montagne) avec toute la classe, sans les parents ; on s'amuserait comme des fous.

J'envie mes petits-enfants d'aller à l'école dans un environnement pédagogique moderne. Ils ont le droit de se servir de leur main la plus habile quand ils sont gauchers[1]. S'ils éprouvent des difficultés d'apprentissage de la lecture, on demande à une orthophoniste de venir à leur secours. S'ils n'arrivent pas à fixer leur attention, la psychologue scolaire s'interroge avec eux sur les motivations d'un tel comportement. Dès leur plus jeune âge, grâce à la mixité, ils prennent conscience des parités et des dissemblances entre garçons et filles. Ils ne se font jamais tirer les cheveux ou taper sur les doigts avec une règle pour apprendre à respecter l'accord des participes passés. « Tends-moi tes doigts... » : il fallait regrouper les quatre doigts et le pouce et attendre sur le bout des ongles le coup de la grosse règle en bois ou en métal. Ça m'est arrivé, je peux témoigner que ça faisait très mal...

---

1. Moi-même gauchère contrariée, comme mon père avant moi, j'ai encore contraint mon fils aîné à se servir de sa main droite. Seul le quatrième écrit tout naturellement de la main gauche. Je me demande pourquoi on a persécuté si longtemps les enfants gauchers.

Des siècles et des siècles d'enfants battus

Je ne comprendrai jamais qu'on puisse faire volontairement souffrir un enfant. Je n'oublie pas, mon siècle permissif, que l'éducation non-violente, sans châtiments corporels, sans privations, sans sévices physiques ou moraux, doit être totalement portée à ton crédit. Avant toi, les enfants giflés, fessés, humiliés, envoyés au coin, coiffés d'un bonnet d'âne, privés de nourriture, fouettés, terrorisés par les adultes, faisaient partie de la réalité quotidienne. Oliver Twist et Poil de Carotte, Cosette et Cendrillon : les exemples ne manquent pas dans la littérature. Mais, en ce domaine, hélas, la réalité dépassait souvent la fiction. La première loi sur la protection des enfants maltraités ou moralement abandonnés ne date que de 1889. Pendant des dizaines de siècles avant toi, l'abandon d'enfants, les punitions musclées, les coups et mutilations infligés aux enfants, l'astreinte au travail des mineurs faisaient partie des us et coutumes[1].

L'inceste et la pédophilie, dont on dénonce la fréquence dans nos sociétés permissives, ne sont pas non plus d'invention récente. Les filles « préférées » de leur Papa, le mutisme

---

1. *Cf. Votre Enfant. Guide à l'usage des parents, op. cit.*

des mères refusant de regarder le pire en face, les jeunes valets soumis à tous les désirs de leurs « maîtres », le silence des victimes accusées de troubler l'ordre social ou familial par leurs révélations, tout cela existait bel et bien avant les débats télévisés sur les vices et déviances dont des enfants sont aujourd'hui les souffre-douleur. Quand je lis dans la presse des statistiques « prouvant » que les abus sexuels seraient en constante augmentation, je me demande s'il ne faut pas se féliciter de ce nouveau droit accordé à l'enfance : celui de se plaindre ouvertement de crimes dont les mineurs ont été de toute éternité les victimes, sans jamais pouvoir révéler au grand jour leur désespoir et leur révolte. Plus on étalera sur la place publique des scandales comme celui de l'affaire Dutroux en Belgique, plus les parents mettront leur progéniture en garde. Plus on dénoncera les monstres, plus la société tentera de les empêcher de nuire. La sécurité des enfants commence par leur propre information. Tu as fait prendre conscience aux adultes, mon siècle qui ne mâche pas ses mots, de situations jadis enfouies dans les jeunes esprits traumatisés par une exaction sexuelle. Le spectacle de telles turpitudes étalées sur la place publique n'est pas facile à admettre ; mieux vaut cependant regarder la vérité en face que la laisser détruire tant de jeunes vies blessées à jamais.

Les beaux esprits affirment volontiers que les générations d'enfants actuels en savent moins que nous (et eux) au même âge. Je n'en suis pas du tout persuadée. D'accord, côté orthographe, c'est un désastre[1] ; en calcul mental ils sont nuls ; ils ne connaissent pas les dates historiques clés et n'ont jamais entendu parler du mont Gerbier-de-Jonc. En revanche, ils manipulent une souris ou un magnétoscope avec virtuosité. Ils apprennent à faire un

---

1. Un « désastre » qui n'est pas propre à notre époque, si l'on en juge par ces citations :

« D'où vient qu'une partie des élèves qui ont achevé leurs études, bien loin d'être habiles dans leur langue maternelle, ne peuvent même pas en écrire l'orthographe ? » (Lacombe, *Un coup d'œil sur l'état actuel de l'enseignement en France*, 1835.)

« Les versions étaient remplies de fautes d'orthographe... » (Girardin, doyen de la Faculté des sciences, Lille, 1859.)

« J'estime que les trois quarts des bacheliers ne savent pas l'orthographe... » (Victor Bérard, Sorbonne, 1899.)

« Les élèves des lycées n'ont ni orthographe, ni vocabulaire, ni connaissances grammaticales, ni méthode d'expression écrite et orale... » (Paul Laumonnier, Bordeaux, 1929.)

« La décadence est réelle... il est banal de trouver vingt fautes d'orthographe dans une même dissertation... Le désarroi de l'école ne date réellement que de la IVe République. » (Noël Deska, *Un gâchis qui défie les réformes*, 1956.)

Ces citations sont extraites de l'excellent livre de Christian Baudelot et Roger Establet : *Le Niveau monte. Réfutation d'une vieille idée concernant la prétendue décadence de nos écoles*, éditions du Seuil, 1989. Ils pourraient, dix ans plus tard, rééditer l'ouvrage sans presque en changer un mot. Il suffirait de corriger quelques chiffres, en hausse, sur le nombre de bacheliers.

exposé oral sans le rédiger intégralement, à rassembler de la documentation, à établir un dossier, à travailler en équipe sur un projet commun. N'est-il pas aussi formateur de comprendre le mécanisme d'une arborescence que de pouvoir débiter sans hésiter les traités paraphés sous Louis XIV ou les sous-préfectures de la Somme[1] ?

L'important : apprendre à apprendre

Ces pédagogies nouvelles porteront forcément leurs fruits dans la société qui s'ouvre aux Terriens du prochain millénaire. Une civilisation où ils devront réviser, compléter, élargir en permanence leurs connaissances, leurs compétences, leurs pôles d'intérêt pour se réadapter et se réorienter plusieurs fois au cours de leur vie professionnelle. Dès maintenant, mieux vaut apprendre à apprendre que remplir sa tête de notions, règles et chiffres dont l'utilité deviendra toute relative quand il suffira de cliquer pour se renseigner. Il n'y aura alors plus de hiérarchie entre les écoles : l'accès au

---

1. Je n'ai jamais oublié ni les uns ni les autres. Les traités de Louis XIV : WPANRU (Wesphalie, Pyrénées, Aix-la-Chapelle, Nimègue, Ramstadt et Utrecht). La Somme : chef-lieu Arras, sous-préfectures : Abbeville, Péronne et Montdidier. Ça me fait une belle jambe !

savoir ne dépendra plus du lieu où l'on vit, mais de la volonté que l'on manifestera.

Je ne fais pas ici de la prospective ; ce temps-là a déjà commencé. Au Saillant, hameau dépendant de la commune de Voute-zac, en Corrèze, l'école accueille dix-neuf élèves. Trois classes – CP, CM1, CM2 – regroupées dans une seule salle ; le même maître pour tous. Ledit maître est un dingue du Net, si bien que son école a fait partie des trois candidatures retenues (sur plus de trois cents établissements) pour participer en 1997-1998 au Prix européen du meilleur « site » scolaire. Entièrement conçu et réalisé par les élèves, le site de Saillant parle de nature, d'arbres, de cultures régionales, de tous les événements qui peuvent intervenir au village et dans la vie rurale de ses habitants. Il a enregistré une moyenne de cinq cents connexions par mois depuis son entrée sur le Net. Les plus lointaines émanaient d'Australie. Grâce à Internet, ces écoliers internautes, en plein cœur de la France profonde, peuvent entrer en relation avec des enfants du monde entier. En regardant un reportage télévisé sur cette cyber-aventure, j'étais enchantée, émerveillée, envieuse. J'aurais adoré, dans ma jeunesse, disposer de moyens aussi extraordinaires mis à la disposition de mon imagination et de ma créativité.

Penser qu'un tout petit village a pu réussir ce que certaines écoles huppées n'ont pas encore fait l'effort de créer ajoute à mon admiration.

Pour ce qui me concerne, mon siècle branché, tu t'es mis en réseau un peu trop sur mon tard ! Certes, j'ai bien l'intention de rejoindre la cyber-planète, mais plus par curiosité que par nécessité ; même si je « surfe » un jour pour ne pas mourir débranchée, l'aspect livresque de ma culture l'emportera toujours sur son versant électronique. Je veux néanmoins te remercier pour tout ton arsenal technologique, au nom de mes petits et arrière-petits-enfants. Tu leur as bien déblayé le terrain ; leurs écoles, demain, ne pourront pas échapper à cette révolution du savoir planétarisé. Déjà, aujourd'hui, il fait si bon apprendre dans certaines classes bien équipées, dans une atmosphère plus décontractée, ouverte et diversifiée que par le passé !

Le troupeau ingérable des adolescents

Je sens bien que cette vision optimistissime de l'enfance et de l'enseignement risque d'agacer, rapportée au climat dégradé et hargneux de ces dernières années. Dans les établissements qui accueillent des enfants de quartiers défavorisés, les incidents graves se multiplient. Les profs se mettent en grève pour obtenir davantage de moyens. Les élèves défilent à leurs côtés pour réclamer plus de surveillants. Les parents d'élèves en appellent au ministre et à l'opinion publique pour ne plus avoir peur quand ils envoient, chaque matin, leurs adolescents au collège. Une minorité de voyous refusent d'apprendre et de comprendre, ils saccagent les classes, sèchent les cours, tentent de faire violence à leurs camarades et à leurs professeurs, mettent en péril la formation de l'immense majorité des élèves. Comme on ne voit qu'eux sur les écrans de télévision, le public a tôt fait de jeter l'anathème sur l'ensemble du système scolaire et du corps enseignant.

C'est trop injuste envers toi, mon siècle de l'école pour tous et du bachot généralisé. Tu as fait l'effort de scolariser des enfants tellement plus nombreux et pendant tellement plus longtemps qu'aux siècles passés[1] ! Cette masse

---

1. Jusqu'au XIXe siècle, la grande majorité de la population française ne savait ni lire ni écrire. J'ai moi-même retrouvé l'extrait d'acte de naissance de mon arrière-grand-père, fils de boulanger à Montpellier au milieu du XIXe siècle. L'acte officiel précisait : « Après avoir déclaré la naissance, le père et les témoins ont déclaré ne pas savoir signer... » Un siècle plus tard, en 1995, 14,5 % des conscrits « éprouvaient des difficultés à lire et à comprendre des textes de la vie quotidienne », ce qui veut dire que 85,5 % d'une classe d'âge était capable de lire et de comprendre ce qu'elle lisait.

d'élèves dans les grandes classes ne se gère pas aussi facilement qu'un afflux de bambins en maternelle. Il suffit d'avoir deux ou trois ados butés dans son entourage pour comprendre les difficultés auxquelles se heurtent les enseignants pour mener certains troupeaux rebelles jusqu'à la fin de leur cycle scolaire.

Le plus étonnant à notre époque n'est pas la violence qui sévit dans quelques établissements difficiles, mais les hordes de bacheliers qui terminent chaque année leurs études avec, en poche, ce diplôme jadis réservé à quelques privilégiés[1]. En multipliant par cent le nombre des diplômés de l'enseignement secondaire, tu as peut-être, mon siècle démocratique, négligé quelque peu la protection des surdoués ; en revanche, tu as haussé de façon spectaculaire le niveau moyen des connaissances individuelles. Quand tellement plus de gens approchent le savoir, le résultat ne peut être que bénéfique pour l'avenir de tous[2].

---

1. Nombre de bacheliers en France : 1809 : 32 ; 1850 : 4 147 ; 1900 : 5 717 ; 1930 : 15 566 ; 1950 : 32 362 ; 1960 : 56 278 ; 1996 : 459 554.

2. Membres d'une classe d'âge accédant en terminale : 30 % en 1975, 65 % en 1995.
Nombre d'étudiants parmi les 15/29 ans : 29,6 % en 1975 ; 45,7 % en 1995.
Source : *Les Jeunes, l'Insertion, l'Emploi*, sous la direction de B. Charlot et D. Glasman, PUF, 1998.

Reste que nous ne sommes qu'à mi-chemin de cette révolution de la connaissance à la carte. Aux quelques notions identiques dispensées à tous par la scolarité obligatoire doit se substituer une volonté individuelle d'apprendre et de se former, encouragée par des études longues et diversifiées. Tous les pays du monde ressentent cette nécessité de moderniser, de repenser, de révolutionner leur système scolaire. Voilà sans doute, mon siècle des grands chambardements, le chantier le plus difficile et le plus important que tu lègues à ton successeur. L'intégration des jeunes dans la société sera à ce prix. Tant qu'ils ne se sentiront pas valorisés en allant en classe, tant qu'ils trouveront démodé le discours des profs, tant qu'ils n'auront pas le sentiment d'améliorer leurs chances d'avenir en enrichissant ainsi leurs années de jeunesse, certains d'entre eux répondront par un rejet violent, voire par le vandalisme à une institution à leurs yeux inadaptée et à une situation qui leur paraîtra bouchée.

Il n'a jamais été facile d'être jeune, encore moins depuis les temps modernes. Avant, jusqu'au XIXe siècle, on passait directement de l'enfance au monde des adultes ; on avait à peine le temps de grandir que, déjà, on commençait à vieillir. Puis, au siècle dernier,

les classes favorisées ont inventé l'adolescence, et les beaux romantiques ont pleuré sur
leur difficulté d'être et le vague à l'âme des
jeunes années. Ils avaient raison de détester
cette période frustrante où le jeune éprouve
déjà tous les désirs des « grands » sans avoir ni
les moyens ni la liberté de les satisfaire.

La légende des belles années

J'ai toujours trouvé stupide la légende qui
situe autour de vingt ans les « plus belles
années de la vie ». Les seules « belles années »
sont celles où l'on se sent bien dans sa peau, à
l'aise dans son personnage, en accord avec ses
choix personnels et professionnels. Tout le
contraire de la jeunesse, bourrée de complexes
physiques, hésitante sur sa sexualité, inquiète
sur ses chances d'avenir, en quête d'une
reconnaissance sociale et d'un épanouissement individuel qui tardent toujours trop. Or,
dans nos sociétés riches et vieilles, hyperpro-
tectrices pour les jeunes, nous ne cessons de
perpétuer ce malaise en allongeant les années
de dépendance. Scolarité obligatoire, difficulté
d'entrer dans la vie professionnelle, retard
dans la prise d'autonomie vis-à-vis des

parents, naissances de plus en plus tardives[1], indépendance économique presque hors de portée compte tenu des habitudes de confort de l'enfance et des difficultés d'insertion professionnelle : tout concourt à proroger l'assujettissement. La condition d'adulte responsable de sa propre destinée peut seule satisfaire les aspirations profondes d'un jeune, homme ou femme, qui a achevé sa croissance physique et son développement mental ; or ce statut d'autonomie devient de plus en plus tardif et difficile à atteindre.

Tant que, dans notre mentalité collective, le droit à l'existence sociale sera strictement lié à l'entrée dans la vie active et à l'indépendance financière, le malaise des jeunes ne pourra que s'aggraver. Il faudra, au siècle prochain, leur proposer d'autres critères d'accomplissement si l'on ne veut pas qu'ils cèdent au découragement ou à la révolte. Le développement personnel, la recherche de valeurs autres que matérielles, l'entraide sociale, l'accès à la culture : les pistes existent pour imaginer un nouvel âge. Les petits enfants peuvent te remercier, mon siècle puériculturel, de leur avoir donné toutes leurs chances ; tu laisses au

---

1. Age moyen de la mère à la naissance en 1996 : 29 ans. En un peu plus de dix ans, l'âge des mères à la naissance de leur premier enfant s'est accru de près de deux ans.

prochain le chantier des jeunes. Les post-ado-
lescents, en revanche, peuvent t'en vouloir à
juste titre de ne t'être pas assez soucié d'eux.

Dans un domaine, pourtant, cette jeunesse
peut t'adresser un immense merci : tu lui as
fait un somptueux cadeau en lui offrant une
débauche de sons et de rythmes dont elle profite d'ailleurs sans limites... L'accès à la
musique constitue à mes yeux – devrais-je dire
à mes oreilles ? – la conquête culturelle la plus
juvénile et la plus démocratique de tout le
XXe siècle.

Chapitre VIII

Les envolées
de la culture

Merci mon siècle, merci pour Mozart ! De tous les cadeaux dont tu m'as comblée, ce n'est certes pas le plus pratique, mais sûrement le plus somptueux. En m'offrant Mozart, tu as changé ma vie et celle de mes contemporains. Tu nous as environnés de sons et de rythmes dont nous sommes devenus les maîtres comblés et exigeants. Avoir la faculté de s'immerger, selon son bon plaisir, à toute heure, en tout lieu, sans bourse délier, dans un bain de musique jouée par les plus grands interprètes internationaux, quel luxe ! Un luxe que l'humanité a bien failli ne jamais connaître[1] et qui

---

1. Sur les sept enfants mis au monde par les parents de Mozart, deux seulement survécurent, Nannerl, la chère sœur du génie, son aînée de quatre ans, et le petit Wolfgang. Lui-même, vers l'âge de dix ans, faillit mourir à son tour de la petite vérole. Atteint d'une maladie congénitale des reins, il est mort à trente-cinq ans.

fut réservé au XVIIIe siècle à quelques grands de ce monde, archiducs, monarques et archevêques d'outre-Rhin et d'ailleurs. À l'époque, la noblesse des cours européennes se piquait de mécénat, elle seule pouvait s'offrir les récitals du jeune prodige et de sa sœur. Je te l'ai déjà dit : en ce temps-là je n'aurais évidemment pas appartenu à ce milieu ; je serais donc passée sur terre sans avoir eu le privilège de savourer la *Petite Musique de Nuit*, ou de vibrer aux grands airs de *Don Juan*.

Au XIXe, peut-être aurais-je eu l'occasion d'assister au massacre de la *Marche turque* par une petite cousine lassée de faire ses gammes sur un piano médiocre. Avec les *Exercices* de Scarlatti et la *Truite* de Schubert, quelques sonates de Mozart servaient de label de qualité ou de garantie de parfaite éducation aux jeunes filles de bonnes familles de la bonne bourgeoisie. Des deux bourgeoisies, en fait : la petite et la grande. Seuls les pianos différaient : droits dans les appartements des commerçants et des gens de robe, ils s'octroyaient le quart d'une queue dans les résidences des familles aisées. Sous le regard tendu de sa Maman, une autre cousine, avec un joli « filet de voix », aurait peut-être susurré en rougissant « *Mon cœur soupire, la nuit... le jour...* » à la fin d'un repas festif ou à l'occasion d'un goûter. Les moments musicaux étant rares, on ne faisait pas la fine bouche, ou plutôt la trop fine oreille : mieux valait quelques fausses notes, un ou deux couacs, que pas de chant du tout. J'ai participé à ces récitals amateurs dans mon enfance. Je puis témoigner que la musique ainsi produite n'avait rien de commun – mis à part l'appellation « classique » – avec la volupté qu'on éprouve au volant d'une voiture quand le Philharmonique de Berlin déferle sur la bande FM[1] de l'auto-radio, ou lorsque Pavarotti, par CD interposé, vous emplit la tête d'une sérénade pendant que vous épluchez des légumes ou repeignez le plafond du living.

Recevoir chez soi un orchestre au complet

Grâce à toi, mon siècle mélodique, j'ai connu avec la musique des rencontres d'une intensité d'autant plus forte et bouleversante

---

1. Bénies soient les « radios classiques » ! Elles existent désormais en modulation de fréquence dans tous les pays occidentaux. Grâce à elles, les amateurs ignares, dans mon genre, ont formidablement diversifié leur répertoire de connaissances. On écoute Niels Gade (danois, 1817-1890) ou Louis Spohr (1784-1859), on ne les inclut pas forcément dans sa discothèque. Ayant entendu un jour un air ravissant de Juan Crisostomo Arriaga, j'ai appris que ce compositeur espagnol avait vécu de 1806 à 1826. Mourir à vingt ans en laissant une œuvre derrière soi : il faudrait prendre le temps de creuser cette biographie-là !

qu'elles se produisaient à ma guise, sans l'aide ni l'autorisation de personne. Émouvants ou exaltants, rassurants ou incongrus, ces rendez-vous m'ont procuré de purs moments de plénitude dont je suis sûre que nous sommes les premiers êtres humains à bénéficier de la sorte et en si grand nombre. Accueillir chez soi un orchestre de cent musiciens, les chœurs de l'Opéra de Salzbourg ou le violoncelle de Rostropovitch, ressusciter des voix disparues, se promener dans les sonorités du monde entier : non, je ne parviens pas à trouver ça « normal ». Il n'y a pas si longtemps que cette magie s'est produite. Dans mon enfance, on mettait déjà la musique en boîte[1], mais les conserves n'égalaient jamais, de loin, les produits frais !

---

1. La reproduction du son a commencé à la fin du XIXᵉ siècle avec l'invention, par l'Américain Thomas Edison, du premier phonographe (1877). Dix ans plus tard, en 1887, l'Allemand Emil Berliner remplace le cylindre des premiers gramophones par des disques. La firme américaine CBS produit les premiers microsillons en 1946 ; ils remplacent les 78 tours par des 33 tours également appelés *long playing*. En 1979, les premiers compacts sont produits conjointement par Philips (Hollande) et Sony (Japon). Le baladeur, imaginé par Akio Morita, président de Sony, est lancé la même année. On ne peut citer toutes les inventions (chaînes, cassettes, transistors, magnétophones, baffles, ampli, etc) qui ont constamment amélioré la reproduction du son depuis un siècle. Seule certitude : c'est bien au XXᵉ siècle que les progrès techniques ont rendu possible le « boom » de la musique.

Personnellement, j'ai remonté les gramophones (dits « phonos ») à la manivelle, changé les aiguilles usées qui rayaient les fragiles galettes de vinyle des 78 tours[1], regretté les éraflures qui faisaient bégayer Chaliapine ou Tino Rossi quand on les écoutait trop souvent. La diversité de la « modulation de fréquence », la qualité du laser, la musicalité de toutes les nations du monde, la variété des artistes et des genres, l'invasion de la musique dans tous les lieux publics et privés n'ont cessé de m'époustoufler. Nom d'un chien, vous rendez-vous compte de la chance vraiment... inouïe que nous avons par rapport à nos ancêtres ? Ils vivaient avec deux binious et trois violoneux, quelques roulements de tambour pour monter à l'assaut quand ils partaient à la guerre, un répertoire un peu minable de chansons paillardes qu'ils reprenaient en chœur dans les cabarets et à la fin des noces et banquets, une poignée de comptines pour endormir les enfants et, dans les cathédrales, les grandes orgues chargées d'inspirer le respect de Dieu et la peur de la mort.

---

1. D'où l'expression populaire pour désigner quelqu'un qui radote : « Il a été vacciné avec une aiguille à phono ! » Je l'ai un jour employée devant un jeune qui, à l'évidence, n'avait aucune référence qui lui permît de comprendre sa signification.

Avant toi, mon siècle de la diffusion culturelle, quatre-vingt-dix-neuf pour cent des gens n'avaient jamais l'occasion de voir et d'entendre un grand orchestre. Pas question, non plus, d'approcher les mains d'un pianiste, d'un clarinettiste ou d'un violoniste pour discerner chaque nuance de leur jeu comme nous y convient les retransmissions télévisées. Quand débuta ce genre de concerts filmés, je trouvai cette approche trop concrète, elle m'ôtait une part du mystère de la musique. Bien vite, j'ai changé d'avis : l'indiscrétion de la caméra sur un archet ou un clavier m'a permis de capter plus de finesses, d'admirer la virtuosité des mains, les prodiges du souffle, l'endurance d'un concertiste, d'entrer dans une interprétation au lieu d'en rester simple spectatrice.

Même révélation pour la direction d'orchestre : depuis toujours, pour les privilégiés qui assistent à un concert, le maestro n'existe que de dos. Le fait de voir le chef diriger de face a complètement bouleversé notre participation. Avant, nous assistions en observateurs ; nous voici presque acteurs. La baguette ne fait pas que battre la mesure, elle appelle et exhorte les instruments, amplifie ou réduit leurs volumes, corrige ou félicite les exécutants, etc. Désormais, chaque auditeur/spectateur se ressent l'un d'eux. La musique prend une valeur supplémentaire quand on l'écoute aussi avec les yeux.

Le « boom musical » commence

Surtout, n'allez pas croire que je n'accorde d'importance qu'à la seule musique classique. Je l'aime par-dessus tout, mais j'admets que l'immense majorité du public ne partage pas ma passion. L'essor de la variété, du rock, du jazz, du rap m'époustoufle au moins autant, car ils s'adressent à des auditoires encore bien plus nombreux, bien plus divers. Comme le constate un livre passionnant sur les habitudes des Français en matière culturelle, nous ne sommes qu'aux débuts du « boom musical[1] ». L'équipement des ménages, très rapide pour les baladeurs et la Hi-Fi, la multiplication des radios musicales sur la bande FM, la diffusion des vidéoclips à la télévision, tout contribue à augmenter l'écoute musicale dans des proportions qui étaient inimaginables au milieu du siècle.

Le phénomène s'amplifie au fur et à mesure que les générations élevées dans un bain de musique, le baladeur vissé aux oreilles, s'ins-

---

1. *Les Français et la culture, de l'exclusion à l'éclectisme*, par Olivier Donnat, Éditions de la Découverte, 1994.

tallent dans la vie adulte. L'exemple du rock illustre cette tendance :

Au début des années soixante-dix, écouter de la musique pop était exceptionnel au-delà de vingt-cinq ans, alors que dans les années quatre-vingt-dix, plus de la moitié des personnes qui écoutent fréquemment du rock ont plus de vingt-cinq ans et près d'un quart plus de trente-cinq ans. Ces générations, en vieillissant, conservent une place à la musique nettement supérieure à celle que lui réservaient leurs aînés, et surtout ne délaissent pas les genres musicaux qu'elles privilégiaient... Les affrontements entre générations ont de ce fait perdu beaucoup de leur virulence : le rock a suscité des polémiques au moment où les parents de ceux qui en écoutait ignoraient tout de ces genres musicaux et où le jeu d'opposition par rapport à la musique classique ou à la chanson "à texte" pouvait se déployer pleinement[1]...

De mon point de vue, cet « affrontement entre générations » ne résultait pas seulement d'un fossé culturel entre les amateurs d'accordéon et les fans de guitares électriques. Les adultes se révoltaient aussi contre la violation sonore de leur environnement. Les hurlements

---

1. *Ibid.*

des rockers par *pick-up* interposés rendaient les parents fous. Depuis que le *walkman* permet de se défoncer les tympans sans déranger ses proches et voisins, les conflits intergénérationnels se sont apaisés. Le silence adoucit les mœurs[1]...

Reste à convaincre les « ados » du danger qui les menace : finir leur vie sourds comme Beethoven, s'ils s'obstinent à faire gueuler plein pot Johnny Hallyday. Pour préserver l'avenir auditif des jeunes irresponsables, il deviendra inévitable de limiter la puissance des machines à écouter comme on a été contraint de le faire pour la vitesse des machines à se déplacer.

Brel, Claude François et les Spice Girls

J'ai commencé mon action de grâces musicale par Mozart pour rendre hommage au génie le plus universel de la musique

---

1. À noter également la révolution des instruments de musique « muets » qui permettent aux débutants d'apprendre le piano ou la batterie en étant les seuls à s'entendre jouer. Cette pratique silencieuse devrait faciliter les débuts des musiciens amateurs s'exerçant à domicile. Ne plus entendre pour la centième fois la *Sonate au clair de lune* de Beethoven sous les doigts hésitants de sa petite fille de dix ans, quel progrès pour préserver les nerfs du groupe familial !

classique[1]. J'aurais pu tout aussi bien te remercier, mon siècle chanteur-compositeur, pour Brel, Brassens, Gainsbourg et Trenet, Duke Ellington, Joan Baez et Elton John. Cette liste semble un peu bas-bleu ? Ne crois surtout pas que j'apprécie particulièrement la diffusion d'une certaine culture élitiste. L'entrée de tous les styles de chanson et de musique dans l'univers artistique revêt à mes yeux une égale importance. Ce qui m'épate, ce qui m'enchante, ce qui me paraît le phénomène le plus « génial[2] » de l'époque contemporaine, c'est que puissent cohabiter, se développer, interférer les uns avec les autres des centaines de genres musicaux différents. Qu'on puisse mélanger dans sa discothèque Céline Dion et Jean-Sébastien Bach, les tam-tams africains et les percussions de Strasbourg.

Chaque génération du « boom musical » a eu ses idoles. Frank Sinatra, Bing Crosby et les *Quatre Saisons* de Vivaldi ont entouré mes

1. Dans une enquête réalisée en 1994 par le département Études et Prospective du Ministère de la Culture, sur les pratiques culturelles des Français, Mozart arrive en tête de tous les compositeurs de musique classique en taux de notoriété : 78 % des plus de quinze ans déclarent le connaître, alors que Gustav Mahler, autre de mes chouchous, ne recueille que 24 % des voix.

2. *Génial* : j'emploie ce mot dans le sens que lui confèrent en général les « ados » d'aujourd'hui : excellent, très réussi, remarquable, formidable. Le comble de la performance étant hypergénial, hypragénial, ou mégagénial.

amours de jeunesse. Claude François, les Beatles et le *Canon* de Pachelbel ont enchanté mes enfants adolescents. Oasis et M.C. Solar envahissent les chambres de mes petits-fils[1]. Allons, j'irai même jusqu'à te remercier, mon siècle incroyablement éclectique, pour les « 2 be 3[2] » et les « Spice girls », idoles de mes petites-filles et de leurs copines. Même si leurs chansons me laissent de marbre, je dois admettre que ces nanas ont un don : elles enchantent les huit/treize ans, leur donnent envie de danser et communiquent un rythme terrible aux queues de cheval de leurs mini-supportrices.

Certains objecteront que ces groupes de rock populaire sont de purs produits de grande consommation, fabriqués par l'industrie du disque et matraqués dans les médias à seule fin de rapporter un maximum de fric à leurs maisons de production. Au nom d'une certaine éthique artistique, ils les jugeront indignes d'être répertoriés parmi les acquis culturels de notre époque. Je désapprouve cet ostracisme. Le fait que ces groupes parviennent à mettre en transe de telles masses de fans dans tant de

---

1. Je n'ai pas cité d'exemple « classique » dans leur cas, faute d'avoir jamais entendu le son d'un violon ou a fortiori d'un haut-bois ou d'une harpe en provenance de leurs chambres !

2. Prononcer : *two be three.*

pays différents prouve que les Spice Girls, comme, bien avant elles, les Beatles, les Platters ou Ray Ventura et ses collégiens, ont su trouver à un moment donné un style, des sons et des rythmes en adéquation avec les attentes d'une génération. Que vous et moi ne supportions pas ce bastringue dont les scolaires nous rebattent les oreilles, n'est d'aucune importance. Les *boys bands*, comme la musique *techno*, ne s'adressent pas aux plus de vingt-cinq ans.

Ne nous étonnons pas de rester imperméables ou allergiques aux « raves » et à leurs rythmes barbares. Quand nous avons dansé le jerk dans les années cinquante, nos parents, eux aussi, nous ont pris pour des extra-terrestres. En remontant plus haut dans le temps, le tango argentin et le charleston ont scandalisé les bien-pensants au lendemain de la Première Guerre. À ses débuts, la valse fut considérée comme impudique par les danseurs de mazurka : elle faisait tourner la tête des valseuses entre les bras de leurs cavaliers. Les adultes se montrent presque systématiquement réfractaires, dans un premier temps, à toutes sonorités ou cadences inconnues dans leur jeunesse. Ensuite ils se laissent apprivoiser : tous les âges s'éclatent sur les pistes des clubs de vacances quand le disc-jockey connaît son métier !

Les filles ne font plus tapisserie

À propos de danse, je voudrais te remercier également, mon siècle du rythme dans la peau, d'avoir accordé aux filles la liberté de participer à la fête sans avoir besoin qu'un garçon les y invite. Tu as su révolutionner la pratique de la danse sociale, pourtant aussi vieille que le monde est monde. Depuis l'Antiquité jusqu'à l'époque moderne, il s'agissait d'une activité collective, définie par des règles strictes et précises, des pas et des figures qu'il fallait respecter. Le groupe y jouait un rôle plus important que le couple. Bourrée, menuet, quadrille ou *square dance* ne différaient guère dans leur principe : donner aux jeunes des deux sexes une occasion de se rencontrer, éventuellement de se séduire, sans manifester de façon excessive le plaisir corporel qui en résulte. Seules les mains pouvaient parfois se toucher et les regards se croiser. Dès le début du siècle, la danse prend une toute nouvelle signification :

Les danses du début du siècle, la valse, le quadrille, constituaient des rites sociaux complexes : danser, c'était exposer sa maî-

trise des codes. Après la guerre de 1914, la danse lie des couples, et les moralistes dénoncent la lascivité du tango. Après la Seconde Guerre mondiale, le jazz, qui n'avait touché jusque-là que des minorités, soutient de ses rythmes des danses populaires, boogie-woogie, be-bop, etc. Ce sont toujours des couples qui dansent, mais ils s'écartent, se rapprochent, s'écartent encore. Le plaisir d'éprouver sa propre force, sa souplesse, au gré des passes, en accord avec un rythme, accompagne celui, plus sensuel, du partenaire que les slows donnent l'occasion d'étreindre sans les règles de figures et de pas du tango. Avec le jerk et le disco, voici que l'on danse seul, éventuellement sans partenaire. Au rite social a succédé un rite du couple, puis un rite du corps individuel[1].

« Faire tapisserie » : cette expression ne veut plus rien dire pour les adolescentes d'aujourd'hui. Dans ma jeunesse, la pauvre fille qui restait assise le long du mur parce qu'aucun garçon ne venait l'inviter souffrait d'une terrible frustration. Elle se sentait dévalorisée, incapable de séduire, laissée pour compte. Puisque aucun homme ne souhaitait la prendre

---

1. *Histoire de la vie privée*, tome 5 : *De la Première Guerre mondiale à nos jours*, sous la direction de Philippe Ariès et Georges Duby, éd. du Seuil.

pour cavalière, elle n'avait même pas le droit de danser ; le plaisir d'accorder ses pas avec la musique lui était refusé. Les minettes d'à présent ne connaissent pas leur bonheur : elles n'ont plus besoin d'un boutonneux entreprenant pour leur permettre de s'amuser ! Désormais, chacune entre dans la danse quand elle le désire, seule ou accompagnée, peu importe. Les femmes étant en règle générale plus « danseuses » que les hommes, les planchers des discothèques accueillent une majorité féminine.

Bien des couples dont les maris ont horreur de se trémousser avec la grâce d'un ours bénéficient de cette sorte d'individualisation. Les femmes seules aussi, quel que soit leur âge, apprennent peu à peu à « s'éclater » sans arrière-pensée de drague. Si une rencontre se produit, l'éternel jeu de la séduction se mettra en marche. Pour faire montre d'un minimum de bonne foi, je dois reconnaître qu'à ces jeux de l'amour et du hasard, mon siècle un peu expéditif, tu ne fais pas preuve de beaucoup d'originalité. Peut-être même, en levant beaucoup d'interdits, as-tu retiré un certain charme à ces premiers émois dont le bal – populaire ou de débutantes, peu importe – fut si souvent le lieu de prédilection. Mais ceci est une autre histoire, dont nous reparlerons au prochain chapitre...

Le septième art prend la première place

Deuxième grande révolution culturelle : les images en mouvement. Dans ce domaine, mon siècle, maître de la concrétisation de l'imaginaire, tu n'as pas tout inventé : le XIXe avait techniquement compris l'essentiel[1] : la mise au point du cinéma lui revient. Cependant, l'essor de l'industrie cinématographique est ton œuvre. Grâce à la rencontre entre la technique et la fiction, à l'adhésion d'un immense public, aux moyens financiers mis à la disposition des créateurs, tu as hissé le cinéma parmi les arts majeurs. Le septième, a-t-on l'habitude de dire ; en fait, le premier par l'audience : un même film peut en effet se

---

1. Au cours du XIXe siècle, les recherches pour rendre le mouvement par la multiplication des images furent menées dans plusieurs pays à la fois, particulièrement en France et aux États-Unis. On considère en général que le cinématographe a été mis au point par Louis Lumière et son frère Auguste (brevet déposé en 1895). La première projection publique eut lieu le 28 décembre 1895 à Paris, au Grand Café, boulevard des Capucines. Ce jour-là, trente-cinq spectateurs payèrent un franc l'entrée. Le succès fut immédiat : trois semaines plus tard, on enregistra 2 000 à 2 500 entrées par jour. Les trois plus célèbres premiers films tournés par les frères Lumière furent *La sortie des Usines Lumière*, *L'Arroseur arrosé*, *L'entrée du train en gare de La Ciotat*.

dupliquer à l'infini pour attirer des spectateurs payants dans le monde entier. Foule innombrable, surtout depuis que le petit écran relaie le grand, déversant des flots de longs métrages dans chaque foyer. Qui n'a vu au moins cinq fois, au cours de son parcours de téléphage, *La Grande Vadrouille* ou *Autant en emporte le vent,* y compris dans sa récente version « colorisée » ?

Dans les années 1960-1970, au moment où l'expansion de la télévision a vidé de moitié les salles obscures, tous les petits cinémas de bourgade ou de quartier fermèrent les uns après les autres. Les plus pessimistes pronostiquaient carrément la disparition du septième art, les autres lui réservaient un avenir d'art et d'essai financé par la production de feuilletons médiocres destinés à la télévision. En bonne logique de marché, il paraissait évident que les gens n'accepteraient plus, à la fin de ce siècle, de sortir de chez eux pour faire (éventuellement) la queue, et payer six Euros l'occasion de regarder dans un fauteuil pas toujours confortable des histoires qu'ils pouvaient se faire raconter à domicile, avachis dans leur canapé, les pieds sur la table basse, parfois en fumant, voire en picorant un « plateau-télé ».

Nouvelle alliance : télévision/cinéma.

Heureusement, la télévision n'a pas totalement phagocyté le cinéma. Au lieu de se laisser couler, toute une industrie a réagi ; producteurs et distributeurs ont compris qu'il leur fallait, pour survivre, offrir un spectacle, et pas seulement un divertissement. Un dicton américain conseille : *If you can't beat him, join him*[1]... Hollywood s'en est inspiré. La télévision, qui devait étouffer le cinéma, lui apporte désormais l'essentiel de ses ressources et assure sa renommée en médiatisant à l'extrême ses vedettes et ses réalisateurs. Si bien qu'aux États-Unis et dans nombre de pays occidentaux, le cinéma demeure le loisir préféré de nos contemporains hors de chez eux[2].

Les jeunes, surtout dans les zones urbaines, fréquentent assidûment les salles obscures[3] ;

---

1. *Si vous ne pouvez pas le battre, prenez-le comme allié...*
2. En Europe, taux de fréquentation moyenne par habitant et par an : Espagne : 2,3 ; France : 2,2 ; Royaume-Uni : 2,1 ; Italie : 1,7 ; Allemagne : 1,6. À titre de comparaison, ce taux s'élève à 4,7 aux États-Unis et à 0,98 au Japon. Cette moyenne cache de grandes disparités : quatre Français sur dix ne vont jamais au cinéma, alors que 12 % de cinéphiles y vont une ou plusieurs fois par mois.
3. 86 % des moins de vingt-cinq ans vont dans l'année au moins une fois au cinéma, contre 26 % des 60 ans et plus. L'auteur (je sais qu'il faut féminiser les mots, je veux bien me dire « écrivaine », mais franchement « autrice » ou « auteuse » ont du mal à passer), donc l'auteur précise qu'elle appartient bien évidemment à cette dernière catégorie.

ils ont propulsé au sommet du box-office *Highlander* ou *Le Grand Bleu*. Néanmoins, pour qu'un film atteigne des records internationaux, il lui faut conquérir le « tout public », ceux et celles qui attendent, d'habitude à domicile, quelques mois[1] ou quelques années la diffusion d'une ex-nouveauté sur leur chaîne habituelle. Exemple le plus récent de couronnement universel : *Titanic*. Avant même d'être diffusé en vidéo-cassette, ou par les chaînes de télévision auxquelles il apportera dans les années à venir des records d'audience, ce film a suscité l'émotion et l'enthousiasme de centaines de millions d'hommes et de femmes de cultures éminemment disparates. Qui, sauf un réalisateur un peu fou et quelques producteurs vraiment audacieux, aurait osé parier sur le triomphe de ce... naufrage ? Grâce à des spectacles comme *Titanic*, étonnant cocktail d'une idylle à faire pleurer Margot et d'effets spéciaux ultramodernes, la preuve est faite que le cinéma a conservé toute sa vitalité. Il lui en faudra davantage encore dans les années à venir pour survivre au sein de la cyber-société.

---

1. Toute la politique commerciale d'une chaîne payante comme *Canal +* est basée sur cette diffusion de loisirs culturels à domicile.

Les dépenses culturelles

La concurrence est devenue très rude entre les différentes sources de loisirs et de distractions. Avec l'accroissement constant du niveau d'éducation et l'allongement du temps libre[1], la demande ne cesse d'augmenter. Dans le même temps, l'offre se diversifie :

● à l'intérieur du logement : multiplication des postes de radio et de télévision, satellites, câble, bouquets de chaînes de plus en plus thématiques et variées, magnétoscopes, ordinateurs, jeux vidéo, CD-Rom, Internet, presse magazine, bandes dessinées, livres de poche, etc. ;

● à l'extérieur : spectacles vivants devant des foules de plus en plus nombreuses, concerts de rock dans des stades, matchs sportifs, festivals régionaux, fêtes du livre, parcs d'attractions, spectacles « son et lumière », rénovation de musées, expositions-événements de peinture ou de sculpture, réhabilitation et visite du Patrimoine, etc.

---

1. En 1996, le temps libre a représenté en moyenne un tiers du temps éveillé dans la vie des Français : 16 ans pour une espérance de vie de 74 ans. Ce temps libre a triplé depuis le début du siècle. Il était en 1900 de 5 ans pour une espérance de vie de 50 ans. En 1800, de 2 ans pour une espérance de vie de 33 ans.

Les possibilités de connaissances et de récréation n'ont jamais été aussi variées pour satisfaire la curiosité des esprits ouverts. Les dépenses culturelles et médiatiques des ménages sont celles qui ont le plus augmenté depuis une trentaine d'années, après celles de santé[1]. Dans ma jeunesse, nous ne disposions pour nos moments de loisirs que de la lecture et du cinéma[2], ils se complétaient parfaitement. L'une occupait les moments de détente solitaire, l'autre représentait les occasions de sorties, donc de rencontres. De nos jours, chacun dispose de multiples façons d'apprendre et de rêver.

Dans ce maelström culturel, dont l'audiovisuel et l'électronique sont les moteurs, où se situe la lecture ? Vais-je te reprocher, mon siècle des écrans grands et petits, des jeux vidéo et des bandes dessinées, d'avoir enlevé aux jeunes générations le goût et le plaisir de lire un livre ? J'entends beaucoup ronchonner autour de moi sur cette incapacité des moins

1. Les dépenses de loisirs et de culture ont été multipliées par 5 en France depuis 1960, contre 3,5 pour l'ensemble de la consommation des ménages. *Tendances 1998, les nouveaux consommateurs*, par Gérard Mermet, Éditions Larousse.
2. Il y avait également la promenade, les jeux de cartes et de société, toutes activités gratuites ou presque. On s'amusait avec rien. D'ailleurs le domaine des loisirs n'était pas considéré comme un poste du budget des ménages, ni comme un secteur d'activité économique créateur de richesses et d'emplois !

de vingt-cinq ans – ne devrais-je pas plutôt
dire des moins de cinquante ans ? – à se plon-
ger dans un texte sans images, à considérer
l'écrit comme une richesse et pas seulement
comme un pensum. Je ne ferai pas de pronostic pour ce qui concerne les générations
futures, elles me semblent a priori plus destinées à s'informer, se former, se distraire sur
écran que sur papier. Qui sait ? Peut-être,
quand elles avanceront en âge, leurs yeux se
lasseront-ils de la luminosité du multimédia[1]
et imprimeront-elles à domicile des livres et
des journaux transmis sur le Net ? Peut-être
brancheront-elles directement leurs cerveaux
sur un serveur de neurones qui leur permettra
d'assimiler un texte sans avoir eu besoin de le
« voir » ? Cette bataille entre l'écran et le
papier n'a au fond que peu d'importance,
pourvu que les générations de demain
cultivent la curiosité d'esprit, le plaisir de
l'imaginaire, le désir de rencontrer et de
comprendre d'autres modes de vie et de pensée que les leurs...

J'ai refusé, depuis le début de ce livre, de
me risquer au jeu de la prospective ; je me
référerai donc simplement au pronostic opti-

---

1. Pour lire au soleil, croyez-moi, rien ne vaut le papier couvert de caractères bien noirs.

miste de Jacques Attali dans son *Dictionnaire du XXIᵉ siècle*[1] ; au mot LIVRE, il prévoit :

Aujourd'hui, plus d'un milliard d'individus lisent au moins une œuvre littéraire dans leur vie. Dans cinquante ans, ils seront au moins trois milliards. Pour cette raison, déjà, le livre restera un objet irremplaçable. Sa commodité de lecture, la possibilité de le compulser, la qualité et la luminosité du papier demeureront longtemps des avantages sans rivaux. Son coût baissera massivement. Prendrait-il ses désirs d'auteur actuel pour les réalités de l'édition de demain ?

La suprématie des écrivains tire à sa fin

Je ne partage pas tout à fait cet optimisme. J'aurais plutôt tendance à considérer que la suprématie culturelle de l'imprimé tire à sa fin avec toi, mon siècle prolifique. On ne publiera plus autant de livres, les manuscrits auront de moins en moins de chances d'être lus, seuls les grands talents conserveront un certain lectorat d'initiés. Au fond, j'ai beaucoup de chances d'avoir fait mien le métier d'écrire dans cette période bénie où le livre bénificie encore du

---

1. *Op. cit.*

prestige accordé à l'écriture depuis l'Ancien Testament jusqu'aux Temps modernes. Dans le même temps, le nombre d'alphabétisés n'a cessé de croître, surtout en Occident, et les grosses rotatives ont permis d'imprimer un nombre considérable de volumes pour peu cher[1]. S'ils comparent leur carrière à celles de leurs illustres prédécesseurs, les écrivains du XXe siècle devraient avoir l'honnêteté de reconnaître qu'ils ont été des privilégiés[2].

Puisque j'inventorie tes largesses vis-à-vis de ceux et celles qui ont eu la chance de traverser ta deuxième moitié, j'affirme que tu as été, mon siècle noir sur blanc, un étonnant et efficace promoteur de la lecture. Jusqu'à toi, lire était un luxe de nantis. Même parmi les favorisés qui avaient la chance d'être allés suffisamment longtemps à l'école pour comprendre un texte avec les yeux, très peu disposaient ensuite, au cours de leurs quelques

───────────

1. Je reconnais volontiers que le prix payé en première édition pour un livre comme celui-ci peut paraître à son acheteur assez élevé. L'attrait de la nouveauté se paie. Le même, dans deux ans, en version poche, vaudra quatre fois moins cher. Emprunté dans une bibliothèque, il revient à trois fois rien.

2. À titre personnel, j'ai dû vendre au cours des vingt-cinq dernières années bien plus d'exemplaires de mes ouvrages que Chateaubriand ou Stendhal de leur vivant. Ce qui prouve bien que le rapport tirage/talent n'a rien de commun avec ce qu'il était au XIXe siècle. Sans parler de ce qu'il était à l'époque de François Villon ou de Rabelais !

décennies de vie adulte, du temps et de l'argent nécessaires pour bouquiner. On nous raconte que « dans le temps », les gens lisaient plus qu'aujourd'hui. Quelle blague ! Même les rentiers érudits et les châtelaines solitaires devaient posséder et lire moins de volumes qu'une banlieusarde d'aujourd'hui qui profite de ses temps de transport pour dévorer Proust en format de poche.

Le livre bon marché, la publication d'auteurs de plus en plus nombreux, la multiplication des genres, la variété des talents ont représenté pour les femmes de ma génération une source de satisfactions immenses. Pourquoi les femmes ? Parce que ce sont elles qui achètent et lisent les trois quarts des livres non scolaires, elles qui fréquentent les bibliothèques, elles qui suivent avec le plus d'assiduité et d'acuité l'actualité littéraire. Sur dix personnes qui lisent des romans, sept sont des femmes ; dans les autres genres littéraires, policiers et science-fiction mis à part, la féminisation du lectorat s'accentue d'année en année.

On peut se demander pourquoi les femmes lisent tellement plus que les hommes. Est-ce parce qu'elles :

● manifestent une ardeur de néophytes vis-à-vis d'une culture dont elles ont été tenues à l'écart pendant des siècles ?

● adorent les histoires d'amour, qu'elles ne vivent pas toujours aussi intensément qu'elles le souhaiteraient dans leur sphère person-nelle ?

● ont une vie intérieure plus secrète et plus riche ?

● s'intéressent peu aux retransmissions sportives à la télévision ?

● utilisent plus rarement la voiture pour leurs trajets domicile-travail ?

● manifestent une allergie congénitale aux jeux électroniques ?

● restent plus souvent assises au square, sur la plage, ou dans leur jardin, à surveiller les enfants ?

● veulent donner le bon exemple à leurs écoliers ?

● vont moins au stade, à la chasse, au café ?

● sont plus sujettes aux insomnies ?

● représentent les deux tiers des plus de 60 ans, âges auxquels on lit davantage ?

● écrivent de plus en plus nombreuses, créant ainsi une littérature féminine que beau-coup de lectrices apprécient ?

Toutes ces explications se tiennent. On pourrait les synthétiser en une seule bonne raison : si les femmes lisent plus que les hommes, c'est parce qu'elles aiment ça davantage qu'eux. Et comme, grâce à toi, mon siècle profondément philogyne, elles ont acquis le droit de faire de plus en plus souvent ce qu'elles souhaitent faire, elles lisent !

Juste une précision avant de développer les bonheurs nouveaux et spécifiques accordés au cours du XXe siècle aux individus de sexe féminin. Vous vous étonnez peut-être de n'avoir vu aborder, dans ce chapitre sur la culture, ni l'opéra, ni la danse classique, ni les arts plastiques, ni le théâtre. Peut-être est-ce parce que j'estime que dans les cent dernières années, ces domaines de la vie artistique n'ont pas connu la même révolution dans leurs relations avec la masse du public. Leurs œuvres s'adressent à des amateurs beaucoup moins nombreux que ceux qui se sont ouverts à la musique, au cinéma ou à la lecture. Les grandes expositions de peinture ou de sculpture, les plus renommées des troupes de ballet, les représentations théâtrales les plus réussies ne peuvent réunir des spectateurs que par milliers, quelquefois par centaine de mille, mais jamais par millions comme le cinéma, ou même dizaine de millions comme les « Disques d'or », les « têtes de box-office » ou les grands best-sellers internationaux... Quant

à l'opéra vivant, il demande une telle perfec-
tion de la part des interprètes qu'il reste
réservé à une petite élite d'amateurs éclairés et
souvent fortunés[1].

D'ailleurs, en réaction contre la « facilité »
et la « massification » de tous les arts censés
viser de très vastes audiences, certains choré-
graphes, compositeurs, peintres ou metteurs
en scène d'avant-garde choisissent de s'enfer-
mer dans un ésotérisme de bon ton. Pour tes
créateurs puritains et abscons, mon siècle de la
grande diffusion, mieux vaut être maudit que
compromis ou perverti pour être... retransmis !

Voilà qui va définitivement me fermer les
portes de l'intelligentsia. Sans regrets de ma
part : j'ai le sentiment, puisque je suis née fille,
d'appartenir à l'aile la plus innovante et dynamique de cette fin de millénaire.

---

1. Les « fous » d'opéra peuvent s'offrir une œuvre intégrale
en CD pour le prix d'une place *live*.

Chapitre IX

Les choix
des femmes

Si j'avais été un homme, aurais-je souhaité, mon siècle préféré, te gratifier d'un même MERCI ?

Depuis le début de ce livre, cette question m'habite. Au moment où tu vas tirer ta révérence, elle revêt une grande importance pour expertiser l'héritage que tu laisses à ton successeur. Avons-nous vécu depuis cinquante ans une véritable révolution dans la répartition des rôles entre hommes et femmes ? Sommes-nous les principales bénéficiaires des mutations contemporaines ? La « libération » des femmes marque-t-elle une évolution irréversible dans l'histoire de l'humanité, ou peut-elle être remise en cause à tout moment pour des raisons politiques ou économiques ? La femme sera-t-elle encore l'« avenir de l'homme » au XXIᵉ siècle ?

Dans un premier temps, j'avais envisagé de commencer ce livre par cette simple phrase : « Merci, mon siècle, d'être une femme aujourd'hui... » Mon intention : insister d'emblée sur l'intérêt passionné que j'ai éprouvé toute ma vie à participer aux grandes métamorphoses de la condition féminine. Néanmoins, au fil de mes recherches et du travail de documentation pour lequel Nicole Chaillot m'a tant aidée, elle et moi nous sommes rendu compte que les progrès scientifiques et techniques, les changements de mentalités, les améliorations de nos modes de vie ne pouvaient être présentés comme ayant profité aux seules femmes.

Les victoires de la santé, les gains de longévité, les révolutions de la communication ou des transports, le confort et la diversité de nos conditions d'existence ne limitent pas leurs effets à un seul sexe. À l'évidence, la plupart des avancées modernes profitent tout autant aux garçons qu'aux filles, aux hommes qu'aux femmes. Bien des découvertes technologiques qui bouleversent d'ores et déjà la société actuelle, mais transformeront encore bien davantage le monde de demain, ont été inventées, mises au point, diffusées par des hommes pour les hommes. Leur usage fait appel à des capacités et des processus de réflexion qu'on rencontre plus volontiers dans les comportements masculins. Dans tous ces objets modernes, des voitures aux ordinateurs, des téléphones mobiles aux jeux vidéo, il y a quelque chose de ludique qui convient à leur éternel tempérament de garçons joueurs, bricoleurs et casse-cou.

Il m'a donc semblé partial, et quelque peu de mauvaise foi, mon siècle, de n'envisager les bienfaits de ta modernité qu'au travers de mes lunettes roses[1]. C'était oublier que la moitié des individus dont tu as profondément amélioré le niveau et le style de vie sont des hommes (pas tout à fait la moitié : si on fait les comptes, toutes générations confondues, nous sommes indéniablement majoritaires[2] !). J'ai donc décidé de ne placer qu'à la fin de ce livre mon action de grâces proprement féminine envers toi, mon siècle tellement plus mixte, dans nos contrées, que par le passé !

---

1. Je n'évoque pas ici les « lunettes roses » de l'optimisme qui n'ont pas quitté mon nez depuis le début de ce livre, mais celles des filles par opposition aux « lunettes bleues » des garçons.

2. Depuis les origines de l'humanité, il naît 105 garçons pour 100 filles, mais la mortalité masculine étant supérieure à tous les âges de la vie, il « reste » dans la population de la planète plus de femelles que de mâles.

La mixité contre la violence

Je voudrais d'abord insister sur l'importance de cette mixité que tu as instaurée depuis les crèches jusqu'aux maisons de retraite en passant par l'école et l'Université, l'univers professionnel, les associations, etc. Cette cohabitation des sexes, cette proximité encouragée entre les mondes masculin et féminin à tous les stades du développement intellectuel et affectif m'ont toujours semblé essentielles pour la formation des uns et des autres. Plus les individus prennent l'habitude de se côtoyer, de s'apprécier, de participer aux mêmes activités, plus ils ont l'occasion de se comprendre, de s'accepter et même de se supporter quand, à titre individuel, ils n'éprouvent pas de sympathie particulière les uns envers les autres. La ségrégation bloque les contacts humains ; sans contacts, pas d'entente possible. Valable entre les races, ce rapprochement bonifie également les relations entre les sexes.

Des observations récentes, entreprises par des psychologues américains et français, sur les performances comparées des garçons et des filles, tendraient à prouver que les écoles mixtes défavoriseraient les filles au cours de leurs études. Les professeurs s'occuperaient davantage des garçons, les interrogeraient plus souvent, consacreraient plus de temps à leur expliquer ce qu'ils ne comprennent pas. Ces enquêtes, forcément limitées à quelques écoles, ne me convainquent pas vraiment. À supposer même que certains enseignants conservateurs attachent plus d'importance à la formation des futurs *careermen* et s'impliquent davantage pour parvenir à leur faire entrer dans le crâne des raisonnements ou des équations qu'ils pigent moins vite que leurs petites camarades[1], ce n'est pas une raison pour rétablir une séparation entre celles-ci et ceux-là. Ce serait, pour la promotion féminine, un recul intolérable, et pour l'équilibre de la société un danger évident qui risquerait d'aggraver un climat de violence si préoccupant à l'heure actuelle. Car si les filles ont besoin de la présence des garçons pour développer leur esprit de compétition, les garçons tirent également bénéfice du travail au coude à coude avec elles : il modère leur agressivité.

Toutes les civilisations qui parquent les femmes à l'écart des hommes génèrent de la

---

1. Tous les professeurs d'école, de collège et de lycée vous le diront : les filles travaillent mieux que les garçons en classe. Elles sont plus disciplinées, plus sérieuses, plus consciencieuses dans leur travail. Il peut donc paraître normal que l'on s'occupe moins d'elles que des garçons, puisqu'elles posent moins de problèmes !

violence. L'exemple des islamistes en constitue une preuve : plus ils se montrent radicaux dans leurs idées et dangereux dans leurs comportements, plus ils assignent aux femmes des règles contraignantes, plus ils leur voilent la face et le corps, plus ils les excluent de toute vie sociale. À l'inverse, les ethnies dont les traditions encouragent des contacts constants, des liens affectueux et une sexualité déculpabilisée entre hommes et femmes, se révèlent en général pacifiques et accueillantes. Le charme polynésien reflète cette paix entre les sexes. Les pays scandinaves, plus tôt débarrassés du machisme ordinaire que les pays du sud de l'Europe, ont également un climat urbain moins explosif. Ce serait folie de vouloir revenir en arrière sur cette mixité dont tu t'es fait, mon siècle, le zélateur tout au long de ton cours[1].

Les femmes avaient un formidable retard à rattraper pour trouver leur juste place dans la société. L'accès égalitaire à l'éducation leur a permis de bénéficier du même enseignement, des mêmes programmes, des mêmes options

---

1. Les écoles communales, dans les campagnes, étaient mixtes depuis toujours, mais la mixité dans les lycées ne date que de 1975.

que les garçons assis en classe[1] à côté d'elles. « Mêmes options » ne signifie pas forcément « mêmes chances ». Bien des freins – le poids des habitudes, les différences de tempérament, le conservatisme et le corporatisme, etc. – bloquent encore l'accession des femmes à tous les niveaux de nos sociétés.

Il vaut mieux être jolie et intelligente

Cependant, rien ne prouve que les injustices engendrées par les crises et les mutations économiques actuelles handicapent plus spécifiquement les femmes. Les disparités ne sont-elles pas dorénavant bien plus flagrantes entre les conditions sociales qu'entre les sexes ? Paraphrasant le célèbre « il vaut mieux être riche et bien portant que pauvre et malade... », on peut se poser la question : pour trouver du travail, pour rencontrer l'amour, pour réussir sa vie, vaut-il mieux être une jeune **femme** instruite, belle, intelligente et joyeuse, ou un jeune **homme** analphabète, laid, bête et triste ?

---

1. Dans le temps, j'aurais écrit : « *que les garçons assis sur les mêmes bancs qu'elles* », mais il n'y a plus de bancs dans les écoles, ni de pupitres dans les casiers desquels on pouvait glisser ses livres et ses cahiers. Les tables et les chaises les ont remplacés, on ne laisse plus rien en classe de peur d'être volé, et les cartables des écoliers leur martyrisent les épaules et le dos !

Non, mesdames les féministes radicales à l'américaine, nous ne sommes plus, en cette fin du XXe siècle, les principales victimes de la société des hommes ! Certains peuvent s'estimer beaucoup plus défavorisés que nous : ceux qui perdent leurs moyens d'existence et leur identité en perdant leur travail, et que menace l'exclusion.

Les SDF sont plus souvent des hommes

Justement, ces désespérés, ces laissés pour compte, ces Sans Domicile Fixe sont presque toujours de sexe masculin. Comment expliquer que cette détresse absolue, cette marginalisation soient beaucoup plus fréquentes chez les hommes que chez les femmes ? Au cours des siècles, les femmes, il est vrai, ont été plus souvent victimes du malheur et de l'abandon ; face aux revers de l'existence, elles affrontent plus courageusement les difficultés morales et matérielles de la solitude, se débrouillent mieux avec les questions matérielles, acceptent d'appeler au secours sans se sentir humiliées. Elles ne mettent pas un point d'honneur à se murer dans le silence et n'éprouvent pas d'attirance morbide pour le statut de SDF, comme certains hommes paraissent en avoir la tentation. Un homme sans domicile peut aller jusqu'à éprouver un vertige névrotique de liberté ; une femme sans domicile perd quasiment tout repère. Enfin, la société a mis en place des aides aux mères isolées et des allocations spéciales qui leur permettent, quand elles ont la charge d'enfants, d'échapper au dénuement total. Tu vois, mon siècle, je crois que, même face à la grande difficulté et à la misère, tu t'es davantage occupé du sort des mères que de celui des hommes.

Naître femme n'est plus un handicap

Plus une société se civilise, plus elle assure l'égalité des chances entre hommes et femmes, et la protection des mères et de leurs enfants en bas âge. Sur ce plan, notre Vieux Continent peut en remontrer à beaucoup. À la jeune Amérique, en particulier, qui ne parvient pas à trouver dans son comportement envers les femmes un juste équilibre entre un féminisme déchaîné, un paternalisme démodé et un abandon aggravé.

Grâce à toi, mon siècle, et à toutes les femmes – des suffragettes de tes débuts aux militantes du Planning familial – qui ont bataillé pour faire reconnaître nos droits et nos libertés, il existe maintenant des pays comme le mien où naître femme ne constitue plus un handicap génétique, mais une aventure humaine originale. Aventure d'autant plus passionnante qu'elle ne peut pas puiser dans le passé ses modèles de référence[1]. Impossible de s'inspirer des façons d'être des femmes d'hier pour savoir comment se comporter aujourd'hui ; la prise en main de son propre sort, par désir et non par nécessité, aurait semblé une idée absurde à nos grand-mères. Pour elles, l'homme était le médiateur évident entre les femmes et leur destinée ; sans personnage masculin dominant, une vie de femme ne pouvait être qu'un pis-aller. Les célibataires et les femmes sans enfants se sentaient des parias dans une société qui n'attribuait aux femmes qu'un rôle social de reproductrices.

Présidentes dans le monde

Voilà ce à quoi tu as vraiment mis fin, mon siècle féministe : jamais, au cours des siècles, les choix et les voies n'ont été aussi ouverts

1. Une petite remarque au passage : ne pourrait-on pas changer l'intitulé de notre déclaration des droits fondamentaux de tout être humain et troquer *Droits de l'Homme* contre *Droits de l'Humanité* ? Les peuples anglo-saxons ont choisi *Human Rights*, qui paraît plus approprié.

devant les femmes qu'ils ne le sont aujourd'hui. Mis à part le métier de prêtre ou de pape – mais quelle femme aurait envie d'être pape ? – il n'y a plus grand-chose d'exclu pour une femme qui en aurait l'absolu désir et ferait preuve d'une volonté assez ferme pour parvenir à ses fins. Je parierais volontiers qu'une présidente de la République sera élue en France dans les vingt ans à venir[1] ; les Anglais ont déjà été gouvernés pendant onze ans par deux femmes simultanément (la Reine et Mrs Thatcher) ; les Sri Lankais, les Philippins, les Islandais, les Irlandais, les Nicaraguayens et bien d'autres peuples[2] ont compris bien avant nous qu'il n'y avait dans l'élection d'une femme à la Présidence rien que de très normal. Un jour, cette

---

1. J'avais d'abord écrit « dans les cinquante ans à venir », mais, à y bien réfléchir, vu la désaffection du public envers les « hommes politiques », il est évident que les « femmes politiques » vont bénéficier de chances inouïes d'ici 2020.

2. Margaret Thatcher a été Premier ministre de 1979 à 1990 ; Sirimavo Bandaranaïke a été la toute première femme Premier ministre en 1960 au Sri Lanka ; aujourd'hui, sa fille Chandrika Kumaratunga est présidente de la République, élue en 1994 ; Corazón Aquino a été élue présidente de la République philippine en 1986 ; Vigdis Finnbogadottir présidente d'Islande de 1980 à 1996 ; Mary Robinson a présidé aux destinées de l'Irlande de1990 à 1997, Mary Mac Aleese lui a succédé à ce poste en 1997 ; Violetta Barrios de Chamorro assure la présidence du Nicaragua depuis avril 1990. Il ne s'agit-là que de quelques exemples de présidentes ; la liste des Premières ministres est infiniment plus longue...

alternance-là nous paraîtra aussi logique que l'autre !

À l'évidence, tout ne garantit pas encore parfaitement cette égalité des choix, mais le chemin parcouru en l'espace de cinquante ans est vertigineux. Quand une jeune femme se plaint devant moi des relents de machisme qu'elle constate dans son environnement professionnel, quand elle reproche aux hommes en général – et au sien en particulier – de jouer encore les pachas trop souvent à son gré, je compatis mais me permets aussi de lui faire remarquer qu'elle oublie un peu vite d'où nous partions et où nous en sommes arrivées.

Il n'y a pas si longtemps...

Il n'y a pas si longtemps qu'une femme mariée ne pouvait pas ouvrir un compte en banque sans l'autorisation de son mari, et elle devait obtenir son accord pour exercer certaines professions[1]. Pas si longtemps que les parents veillaient sur la virginité de leur fille comme sur un capital précieux qui lui permettrait de trouver plus facilement un « fiancé ».

---

1. La tutelle maritale qui rendait les femmes totalement dépendantes de leur conjoint sur le plan juridique n'a été supprimée qu'en 1965.

Pas si longtemps qu'on fermait les yeux sur les difficultés scolaires des filles : « C'est pas grave, elle se mariera... » Pas si longtemps que la contraception moderne a été légalisée[1]. Pas si longtemps que l'interruption volontaire de grossesse fait partie des interventions autorisées dans les hôpitaux[2]. Pas si longtemps qu'une femme adultère ne subit pas davantage l'opprobre de son voisinage qu'un « coq de village ». Pas si longtemps que le divorce par consentement mutuel a été institué. Pas si longtemps que nous avons réussi à nous débarrasser de Napoléon sur le plan juridique et de saint Paul en matière sexuelle. Ces deux-là nous ont vraiment donné du fil à retordre : l'un aimait trop les femmes, et l'autre pas assez !

Quelle chance j'ai eue de naître juste au bon moment pour profiter des occasions qui, une à une, ont « libéré » la petite fille, la jeune fille, la femme, la mère, la femme active, et désormais la seniorette en bonne forme que j'ai choisi d'incarner !

Aujourd'hui encore, je considère ma condition de sexagénaire comme une aubaine, non que l'avancée en âge me fasse particulièrement plaisir, mais je préfère mon statut de

---

1. La loi Neuwirth autorisant la contraception date de 1967.
2. La loi Veil autorisant l'interruption volontaire de grossesse (IVG) date de 1975.

« seniorette » à l'état de « vieille » dont on flanquait jadis toute dame de mon âge. Non, franchement, je n'ai jamais regretté d'être une fille, jamais envié le pénis des garçons. Sur ce point, le gentil docteur Freud n'a pas forcément vu juste, ou plutôt il a dû confondre les composantes « historiques » de la mentalité des femmes dans la Vienne fin de siècle avec les données prétendument « éternelles » de la nature féminine. Non, mon bon Sigmund, toutes les femmes ne rêvent pas d'avoir de la barbe au menton et de gros « biscoteaux[1] » ! Elles sont de plus en plus nombreuses à apprécier les potentialités, la richesse, la diversité de leur féminitude. Je fais partie de celles-là.

Désir d'enfants et hommes désirés

Les grandes évolutions humaines sont toujours liées à des modifications profondes du destin physiologique. Les hommes se sont sédentarisés et civilisés du jour où ils ont appris à se nourrir, eux et leurs familles, au lieu de vivre dans les affres permanentes de la faim. Les femmes sont entrées à leur tour dans tous les rouages de la société depuis que la

---

1. ... et des « pannes d'oreiller » qui leur posent des problèmes d'ego incommensurables !

contraception et les progrès de la gynécologie et de l'obstétrique leur ont permis de maîtriser leur fertilité, de préserver leur santé, de conquérir leur sexualité, de choisir les grandes orientations de leur destin familial. La plus féminine de toutes les libertés, c'est toi, mon siècle, qui nous l'a accordée. Après avoir libéré nos bras et nos mains des plus lourdes tâches domestiques, libéré nos cerveaux en nous accordant le droit à l'instruction, tu as enfin libéré nos ventres. Nous avons désormais le droit de porter les enfants que nous désirons[1] et de désirer les hommes que nous portons... dans notre cœur.

Pour étayer leur propagande en faveur de la guerre des sexes, certaines militantes du MLF ont voulu faire accroire que la domination des hommes avait été notre principale source d'esclavage depuis des siècles. Elles se trompaient de cible. La bataille que nous avons menée et gagnée grâce aux scientifiques et aux médecins du XXe siècle était autrement décisive et difficile : il s'agissait d'en finir avec la servitude liée à une fertilité incontrôlable et à nos organismes menacés. Pour avoir connu et vécu cette hantise des femmes, angoissées

---

1. Ainsi que le droit de ne pas avoir d'enfants si nous n'en souhaitons pas.

tous les vingt-huit jours, j'affirme que c'est bien le trio des trois C – « confort ménager, connaissance, contraception » – qui a levé la barrière des trois K[1].

La hantise des jours de retard

Dans les années 50, à *Madame Express,* nous étions une équipe d'une dizaine de journalistes, toutes femmes, toutes jeunes, toutes mères de famille comme moi. Combien de fois, le lundi matin, l'une ou l'autre arrivait les traits ravagés par l'insomnie, la fatigue, l'angoisse de voir tout son équilibre de vie brusquement remis en question. Huit jours de retard, quinze jours de retard : les traits se creusaient de plus en plus, la poitrine s'alourdissait, les doutes devenaient inquiétudes. Tous les remèdes de bonne femme étaient appelés à la rescousse pour tenter de sortir de l'impasse. Hélas, les purges et les queues de persil se révélaient plus nocives qu'efficaces[2].

---

1. *Kinder, Kuche, Kirche* = « les enfants, la cuisine, l'église », les devoirs des ménagères allemandes dans la première moitié du siècle.

2. Quand on arrivait, parfois, à stopper le processus, il fallait se rendre dans un hôpital pour faire faire un curetage ; certains médecins sadiques pratiquaient cette intervention sans anesthésie pour « apprendre » aux femmes à ne pas recommencer !

À celles qui refusaient une naissance indési-
rable, il ne restait plus alors d'autre issue que
d'en appeler à une « faiseuse d'anges ». Solution dangereuse, détestable, ruineuse, totalement interdite par la loi et la religion. On risquait d'y laisser sa peau, de mettre en danger
sa fécondité future, de finir en prison... et dans
l'enfer de la culpabilité. Pour ne pas nous trouver confrontées à un tel choix et pour tenter de
sortir les jeunes couples de l'alternative infer-
nale, nous avons toutes milité pour la contraception (elle aussi totalement interdite par la
loi à l'époque !).

Pour mesurer et donner à comprendre ma
tendresse envers toi, mon siècle libérateur de
nos utérus et de nos amours, je me remémore
parfois ces chagrins de femme dont nous
étions, en tant que femmes journalistes, les
témoins constants. Ayant enquêté sur les différents moyens contraceptifs utilisés dans les
pays moins répressifs que le nôtre[1], je reçus au
journal des milliers de lettres de lectrices me

1. Aux États-Unis, le docteur Pincus venait de mettre au point
la toute première pilule ; l'Angleterre, la Hollande et la Suisse
vendaient des diaphragmes et des pommades spermicides en
pharmacie, mais sur ordonnance médicale. Certains médecins de
Genève s'étaient spécialisés dans l'accueil de patientes ayant
suivi les « filières françaises ». Encore un privilège réservé aux
classes aisées et informées ! Le Japon, à l'époque comme de nos
jours, a toujours utilisé les préservatifs masculins comme
méthode de contraception.

suppliant de leur expliquer ce qu'elles pouvaient faire pour échapper à la peur constante
d'une grossesse indésirée, sans gâcher leurs
relations amoureuses. Un avocat m'interdit de
la façon la plus formelle de fournir le moindre
renseignement, la moindre adresse par écrit :
« Si l'une de vos lettres tombe entre les mains
d'un magistrat intégriste, vous risquez une
sale histoire, et *L'Express* avec vous... La
seule solution est de les recevoir et de leur
donner conseils et adresses oralement... »
C'était la méthode employée par l'admirable
Planning familial dont les bénévoles ont ainsi
sauvé bien des couples et bien des vies.

Pour parer au plus pressé, je reçus un certain
nombre de correspondantes au journal. Je me
souviendrai toujours d'une petite dame fluette
et mince : « Voilà, me confia-t-elle en rougissant tant elle était effarée de parler de "ces
choses-là" à une inconnue, mon mari est
explorateur dans l'équipe de Paul-Émile Victor. Il part en expédition presque dix mois par
an et ne revient chez nous que deux mois environ. Nous nous aimons très fort, si bien que,
quand il revient... Depuis six ans que nous
sommes mariés, il ne m'a pour ainsi dire
jamais vue enceinte, mais chaque fois qu'il
revient il trouve un bébé de plus à la maison.
Ça ne peut pas continuer, je n'en peux plus :

faites quelque chose... » J'ai reçu quelques mois plus tard une charmante carte me disant simplement : « Nos cinq enfants vont bien... mon mari n'en trouvera pas de sixième à son prochain retour... Vous avez sauvé notre couple... »

Amours miraculées par la contraception

Je pourrais citer des centaines d'exemples d'amours miraculées par la contraception, de relations débarrassées de la peur – on peut même dire parfois de la terreur – des grossesses indésirées, de couples qui ont trouvé un meilleur équilibre grâce à l'une ou l'autre des méthodes contraceptives modernes[1]. Les adversaires de la pilule avaient prophétisé les pires débauches sexuelles le jour où l'on dissocierait sexualité et fertilité ; ils imaginaient que les femmes allaient faire des folies de leur corps si la peur ne les incitait plus à s'abstenir certains jours du mois, ou même à vivre chastes certaines années de leur

---

1. 74,4 % des femmes en âge de procréer utilisent une méthode contraceptive (pilule : 37,49 %, stérilet : 19,2 %, préservatif : 5,3 %, stérilisation féminine : 8,3 %). Parmi celles qui ne la pratiquent pas, au moins 20 % ne sont pas concernées : enceintes, cherchant à concevoir, stériles, etc. Source : INED, 1994, cité dans le *Quid 98*.

vie conjugale. C'était bien mal connaître les amours féminines, beaucoup moins tentées par la polyandrie que les hommes par la polygamie[1]. Sans parler des « années Sida » qui ont plus fait pour la fidélité des couples que tous les appels au démon réunis ! Non, les mœurs n'ont pas été vraiment plus relâchées en cette fin de siècle qu'au temps des fiacres et des maisons closes... Seule différence d'importance : l'indissolubilité du mariage faisait que les « accrocs » dans le contrat étaient en général endurés ou pardonnés, alors que les infidélités contemporaines entraînent plus souvent ruptures et divorces.

Aucune comparaison statistique fiable[2] ne peut venir confirmer mes dires quand j'affirme que, depuis tes débuts, mon siècle de l'éducation sexuelle et de la levée des interdits, les relations sexuelles des femmes n'ont pas tant augmenté pour ce qui est du nombre de leurs partenaires. En revanche, je suis tout à fait per-

---

1. Ce n'est peut-être pas un hasard si les mots *polyandre* et *polyandrie*, qui existent bel et bien dans le *Petit Robert*, sont tellement moins utilisés et connus que les mots *polygame* et *polygamie* ! Quant à la *bigamie*, elle n'a pas son pendant féminin : la *biandrie* n'existe pas... dans le langage, s'entend !

2. D'une part, j'ai toujours pensé que les réponses de nos contemporains interrogés sur leur vie sexuelle n'étaient pas forcément d'une parfaite sincérité ; d'autre part, il n'existe aucune enquête datant du début du siècle sur de tels sujets. On n'en parlait ni dans l'intimité, ni a fortiori à des inconnus !

suadée que, pour beaucoup d'entre elles, elles se sont améliorées en qualité. La frigidité n'a pas été rayée de la carte du Tendre mais, comme l'analphabétisme, elle n'est plus considérée comme un handicap inhérent à la condition de femme. N'oublions pas qu'au début du siècle, il était assez bien vu, pour une honnête femme, de pratiquer l'abstinence par précaution ou... par vertu !

Une longue série d'interdits

Au chapitre de l'amour physique, dans ma jeunesse, tout n'était que honte et culpabilité. Comme ma mère, ma grand-mère et certainement mon arrière-grand-mère avant moi, j'ai été élevée, petite fille puis adolescente, dans l'idée du « péché » de chair, proscrit hors mariage à tous les âges de la vie. Il souillait celles qui succombaient à la tentation et justifiait vis-à-vis de ces femmes « légères » toutes les violences et humiliations de la part des parents « déshonorés » et des époux « cocus ».

Ma propre éducation sexuelle ne fut qu'une longue série d'interdits. Il ne fallait ni :

● se mettre nue devant ses frères et sœurs ;

● avoir de « mauvaises » pensées et laisser vagabonder son imagination ;

● donner le bras à un garçon, ni a fortiori l'embrasser ;

● flirter avant d'être fiancée ;

● « coucher[1] » avant le soir de ses noces.

De toute mon enfance, je n'ai jamais entendu parler ni de plaisir ni de désir, encore moins de caresses exprimant la tendresse. Vers l'âge de douze ans, grâce à une plus futée que moi, j'ai appris qu'il fallait un homme et une femme pour faire un bébé, mais comment ils s'y prenaient, grâce à quels gestes ? Mystère !

Il faut avouer que tous ces interdits ajoutaient beaucoup de piquant aux relations entre jeunes de sexes opposés (entre adolescents du même sexe aussi, d'ailleurs !) Comparée à celle des générations de maintenant, notre libido était sans doute plus exacerbée, mais en même temps tellement plus frustrée ! Je regrette parfois toutes ces belles années perdues par ignorance et répression.

Adolescente, je me suis débrouillée tant bien que mal pour ne pas rester trop « oie blanche » et m'informer auprès de copines

---

1. « Coucher » : expression péjorative pour « faire l'amour ». Une fille qui « couchait » ne pouvait être fréquentée par les jeunes filles convenables ; en revanche, on encourageait vivement ses fils à avoir des relations avec elle pour acquérir une certaine « expérience » avant de se marier.

plus aventureuses que moi pour savoir à peu près en quoi consistait ce qui me tentait, sans risquer l'envolée de ma très précieuse « virginité ». Seule solution pour « sauter le pas » : se fiancer très jeune et « devancer l'appel » jusqu'au mariage. C'est ce que je fis, comme la plupart des filles de ma génération.

L'après-midi de mon mariage[1], au moment d'enlever ma grande robe blanche pour enfiler un tailleur bleu-marine – uniforme de rigueur pour partir en voyage de noces –, ma mère fait irruption dans la chambre où je me déshabille. Elle prend un air de circonstance :

« Christiane, je voudrais te parler...

Moi, gênée à l'idée qu'elle va tenter de m'expliquer en quelques minutes ce que je sais déjà depuis des mois :

– Écoute, Maman, ce n'est pas la peine... Ce n'est pas le moment... Je sais... je sais déjà...

– Je voudrais quand même te dire quelque chose : une seule chose...

Elle insiste tellement, elle s'est donné tant de mal pour que tout soit parfait ; je ne vou-

---

1. À l'époque, on se mariait le matin et les mariés s'esquivaient tôt dans la journée. Ils étaient supposés avoir hâte de se retrouver seuls dans un lit après des mois d'attente forcée. De nos jours, les mariages ont lieu le soir et les mariés dansent avec leurs copains jusque tard dans la nuit, ils prennent le temps de faire la fête, ayant déjà, depuis longtemps, fait l'amour.

drais surtout pas lui faire de peine... Mais,
franchement, comment ne comprend-elle pas
que ce genre de conversation date d'une autre
époque ?

— Bon, je t'écoute...

— Voilà, souviens-toi bien...C'est le seul
conseil important que je voudrais te donner :
*même si tu n'aimes pas "ça", ne le dis
jamais !*

Ce fut l'unique leçon d'éducation sexuelle
que je reçus de mes parents. Il me fallut des
années de « libération » pour m'en remettre.

Voilà pourquoi je te suis infiniment reconnaissante, mon siècle, d'avoir dissipé, grâce
aux hippies californiens et aux soixante-
huitards européens, le silence et l'opprobre qui
entouraient les choses de l'amour. Cette
atmosphère moins répressive n'a certes pas
réglé tous les conflits ni toutes les incompré-
hensions, mais elle a permis à davantage de
couples de mettre ensemble un point sur l'« i »
du verbe baiser.

Ah, ce dernier mot vous choque ? Peut-être
n'avez-vous pas tout à fait profité de ce siècle
pour vous libérer... ? Ce n'est pas grave : le
prochain arrive tout bientôt, il vous réservera
sûrement encore quelques surprises !

Conclusion

Bon vent au prochain

« *Mon Dieu ! je ne suis pas ambitieuse, je ne demande pas grand-chose... Mon idéal, ce serait de travailler tranquille, de manger toujours du pain, d'avoir un trou un peu propre pour dormir, vous savez un lit, une table et deux chaises, pas davantage... Ah ! je voudrais aussi élever mes enfants, en faire de bons sujets, si c'était possible... ne pas être battue, si je me remettais en ménage... Et c'est tout, vous voyez, c'est tout...* » Elle cherchait, interrogeait ses désirs, ne trouvait plus rien de sérieux qui la tentât. Cependant, elle reprit, après avoir hésité : « *Oui, on peut à la fin avoir le désir de mourir dans son lit... Moi, après avoir bien trimé toute ma vie, je mourrais volontiers dans mon lit, chez moi*[1]. »

---

1. *L'Assommoir* d'Émile Zola, 1877.

Cet « idéal » de Gervaise, rédigé par Zola à la fin du XIXe siècle, diffère-t-il vraiment des vœux que chacun d'entre nous pourrait formuler en cette fin du XXe ? Vivre en sécurité, à l'abri de la maladie et de la faim, sous un toit bien à soi, élever ses enfants de telle sorte qu'ils puissent enfin se bâtir une existence qui les satisfasse, établir des relations harmonieuses avec son partenaire, travailler tranquille et mourir dans son lit : franchement, nous sommes tous prêts à signer des deux mains ce programme. Certes, nous nous montrons beaucoup plus exigeants en matière de confort, et il devient de plus en plus rare de « trimer » toute sa vie et de mourir dans son lit – la retraite interrompt l'activité bien avant le bout du chemin, et les trois quarts des gens meurent à l'hôpital[1]...

N'y aurait-il donc pas grand-chose de chamboulé depuis un siècle ? Tous tes efforts, tes découvertes, tes innovations, mon siècle fécond et agité, n'auraient rien changé aux aspirations, aux accomplissements et aux malédictions de la condition humaine ? Je reste persuadée du contraire. Le minimum existentiel de Gervaise demeure la base indis-

---

1. Côté chômage et précarité, ce n'était franchement pas mieux dans l'entourage de Gervaise !

pensable de notre survie, mais nous deman-
dons désormais bien davantage à la vie pour
nous dire heureux de notre sort. Grâce aux
progrès que tu as engendrés, nos désirs et nos
possibilités de les satisfaire n'ont cessé de se
diversifier, suscitant également d'insuppor-
tables inégalités entre ceux et celles qui restent
en marge de cette révolution du quotidien et
celles et ceux qui en bénéficient. Me classant
parmi ces derniers, je me félicite chaque jour
d'avoir vécu à part entière ta seconde moitié[1].
Ce serait faire preuve d'une grande ingratitude
de ne pas le répéter. Il n'y a pas de honte à partager ses joies, à clamer haut et fort sa
confiance en la vie, à tenter de communiquer
ses espoirs au plus grand nombre possible de
gens. Le bonheur égoïste, bien renfermé sur
lui-même, à l'abri du regard des moins favorisés, n'est-il pas infiniment plus répréhen-
sible ? Voilà pourquoi j'ai voulu te signer
publiquement, mon siècle, cette reconnaissance de dettes...

---

1. Ta première moitié, avec ses deux grandes guerres mon-
diales et leurs abominables carnages, avait bien mal laissé augu-
rer de la suite ! La génération qui a connu 14-18 dans son
enfance, la crise de 29 dans sa jeunesse, et 39-45 en tant que
jeunes adultes, n'a certes pas tiré au sort la meilleure moitié. Je
pense d'ailleurs que les historiens du futur feront débuter vraiment l'ère moderne à 1950.

Quel dynamisme il t'a fallu pour bouleverser tout en même temps : les modes de pensée, les façons d'être, les rythmes de vie, les relations entre les personnes. Je ne pense pas qu'il y ait jamais eu dans l'histoire de l'humanité un tel chambardement du quotidien des individus dans un laps de temps aussi court.

Je l'ai déjà dit, mais je le redis et j'insiste, car tel est le propos de ce livre : nous te sommes redevables de trois authentiques « révolutions » – pas de simples améliorations des conditions de vie par rapport au passé, mais bien des changements radicaux dans nos destinées individuelles :

1) l'amélioration de la santé et sa conséquence directe : l'allongement de l'espérance de vie en bonne forme ;

2) la transformation des conditions de vie matérielles et sa conséquence directe : la redistribution du temps de vivre ;

3) le contrôle des naissances et sa conséquence directe : la remise en question du destin des femmes, de leurs relations avec les hommes, et par conséquent la transformation des structures familiales.

Quels cadeaux tu nous as faits, mon siècle, en quelques dizaines d'années ! Seulement voilà : tu nous les as offerts en vrac, sans que nous ayons vraiment eu le temps d'apprendre à nous en servir. Il nous a fallu vivre dans un monde en pleine transformation avec des idées et habitudes d'une autre époque – entre ce que l'on tente d'enseigner à ses enfants et ce qu'ils ont à vivre plus tard, n'y a-t-il pas inévitablement une ou deux générations de décalage ? « Nouveaux pères », « nouvelle vague », « nouvelle cuisine », « nouveau roman », « nouvelle philosophie » : dans ton troisième quart, tout se devait d'être « in » (insolite, inouï, inusité, inconnu, inédit, etc.). Sans y être préparés, nous avons eu la responsabilité d'inventer des modes d'emploi et des règles du jeu pour cette « nouvelle » société. Alors, forcément, nous avons commis beaucoup de bêtises, et laissé au bord du chemin beaucoup de victimes désemparées par l'ampleur de cette révolution[1].

Pour ne pas avoir à remettre toute leur vie et leur personne en question, certains se sont réfugiés frileusement à l'abri des principes et des comportements du passé, sans se rendre compte qu'ils prenaient ainsi le risque d'étouffer les jeunes et la société en devenir. Il n'y a pas de changement sans dangers ! D'autres, à l'inverse, enivrés par tant de possibles, ont

---

1. Une « vraie » révolution, pacifique mais fondamentale. Pas une de ces mauvaises excuses que se donnent les hommes pour se battre et s'entretuer !

foncé au mépris de toutes les aspirations et règles de jadis. Ils ont ignoré les données « éternelles », les besoins profonds de la nature humaine, au risque de vouer à l'angoisse et aux exactions une partie des jeunes générations privées de repères moraux et de structures familiales. Entre les uns et les autres, les conflits – plus souvent de mentalités que de générations – se sont exacerbés. Il en est résulté un tohu-bohu généralisé, dans les destins individuels aussi bien que dans le devenir des sociétés, qui rend cette fin de millénaire à la fois passionnante et terrible.

Avec ces nouvelles cartes en main, les cinquante ans qui viennent pourront engendrer le pire ou le meilleur.

Le pire interviendra si un matérialisme foncier finit de se substituer à la morale, si l'individualisme généralise le « chacun-pour-soi », si le refus de se soumettre à la moindre discipline collective dégénère en barbarie. Ce pire est toujours menaçant, prêt à surgir au gré des déraillements individuels ou des folies collectives. Quand un individu ou une société « disjoncte » et verse dans le mal, il ne faut jamais laisser faire par paresse ou par faiblesse. Nous le savons, nous qui avons payé si cher la démission de presque tous face à Hitler ! Il ne faut pas que le prochain siècle ni les suivants oublient cette leçon-là.

En revanche, dès les tout premiers temps du troisième millénaire, des perspectives vraiment nouvelles pourraient bouleverser l'existence. Grâce à une meilleure formation, à une liberté de choix fraîchement acquise, à la maîtrise des petites misères physiologiques, l'occasion sera offerte de mettre pleinement à profit et d'enrichir les capacités affectives et intellectuelles de chacun. Les générations de demain pourraient alors avoir la chance de consacrer l'essentiel de leurs forces et de leur temps à vivre mieux, et pas uniquement à survivre.

Contrairement à d'aucuns qui gémissent sur les difficultés des jeunes dans le monde d'aujourd'hui, excusant presque par avance leurs démissions et leurs désespoirs, je ne plains pas un instant ceux qui, en l'an 2000, auront toute la vie devant eux. Nous leur avons forgé les instruments de la modernité ; à eux d'inventer le sens qui va avec ! À regarder vivre les vingt ans, je suis persuadée qu'ils en seront capables. Ils savent d'ores et déjà tellement plus de choses que nous n'en connaissions à leur âge !

Je leur souhaite bon vent pour traverser ce futur siècle qui sera le leur.

À toi, qui a été le mien, même si je compte bien assister en spectatrice passionnée aux débuts du nouveau, je ne peux que redire : au revoir et merci encore !

Veulettes, juin 1998.

Table

TABLE   319

Impression réalisée sur CAMERON par
BRODARD ET TAUPIN
La Flèche

pour le compte des Éditions Fayard
en août 1998

Imprimé en France
Dépôt légal : septembre 1998
N° d'édition : 0646 – N° d'impression : 6477U-5
ISBN : 2-213-60056-2
35-57-0256-01/4

Only for you my Lady
you are my honorabile princess
I hope you all the best in
your Life.

your dear YOUNE

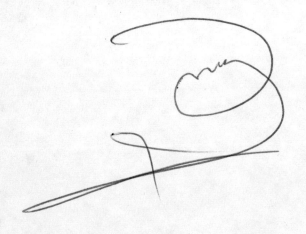